EXPERIMENTOS CIENTÍFICOS

química cotidiana

everest

química cotidiana

INTRODUCCIÓN

Hay reacciones químicas por todas partes. Las plantas crecen, el hierro se oxida, la gasolina arde en el motor de los coches, tu saliva y tus jugos gástricos digieren la comida… todo eso implica cambios químicos.

La materia está formada por unos componentes básicos llamados átomos, y si sólo tiene un tipo de átomo se llama elemento. El oro, el hierro y el carbono son algunos de los 92 elementos que existen en forma natural. Otras sustancias, los compuestos, tienen átomos enlazados (unidos) de dos o más elementos. El agua, la sal, el azúcar, el polietileno de las bolsas de plástico y el ADN de tus células son compuestos.

Casi toda la materia consiste en átomos enlazados que forman moléculas o cristales.

El azufre se llama también "piedra inflamable". Abunda mucho en la naturaleza y se conoce desde la antigüedad.

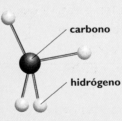
carbono
hidrógeno

Esta molécula de metano está formada por átomos de carbono e hidrógeno.

La molécula es la mínima porción de una sustancia que puede extraerse sin alterar sus propiedades. Por ejemplo, cada molécula de oxígeno contiene dos átomos de oxígeno. La de agua contiene un átomo de oxígeno y dos de hidrógeno. Muchas sustancias sólidas como los metales, el diamante y la sal (cloruro sódico) son cristales: disposiciones regulares de átomos con distintas formas y bordes afilados.

Los químicos estudian los elementos, los compuestos y los cambios (las reacciones químicas) que sufren.

La química tiene tres ramas principales: la orgánica estudia el carbono y sus compuestos (el carbono es especial porque entre sus muchos compuestos se encuentran los que conforman a los seres vivos); la inorgánica estudia los demás elementos; la química física estudia los cambios que ocurren durante las reacciones químicas.

La herramienta básica de los químicos es la tabla periódica: los elementos químicos ordenados según el número de protones (o electrones) de sus átomos. Los químicos la utilizan para predecir las propiedades de un elemento antes de confirmarlas con experimentos.

Las actividades de este libro te mostrarán reacciones químicas que ocurren a tu alrededor o en el interior de tu organismo y otros seres vivos.

EL INTERIOR DEL ÁTOMO

Los átomos están formados por partículas llamadas protones, neutrones y electrones, cuya carga es, respectivamente: positiva, nula y negativa. Los protones y los neutrones están enlazados y conforman el núcleo, que ocupa alrededor de una diezmilésima parte del átomo. Los electrones orbitan alrededor del núcleo. El número de protones y electrones es el mismo, así que las cargas se equilibran. En las reacciones químicas, los átomos ganan, pierden o comparten electrones, pero sus núcleos no cambian. Para lograr cambios

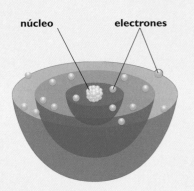

núcleo   **electrones**

🔲 *Estructura de un átomo.*

nucleares se necesita una energía mucho mayor que la requerida en las reacciones químicas.

Si los átomos se combinan para obtener compuestos, ellos mismos se reagrupan para recuperar el equilibrio de cargas. Al formar un compuesto, un átomo puede perder uno o más electrones y, en consecuencia, adquirir carga positiva; o puede ganar electrones y adquirir carga negativa. En cualquiera de los casos, ese átomo que adquiere carga eléctrica se llama ion. Hay dos tipos de iones: el catión, átomo con carga positiva, y el anión, átomo con carga negativa.

La fuerza de atracción entre electrones y protones traba los átomos en "enlaces". Los átomos comparten electrones en el "enlace covalente" y transfieren electrones en el "enlace iónico".

La guía de la buena ciencia

La ciencia no es sólo una colección de hechos, sino el proceso que los científicos usan para recopilar información. Sigue esta guía de la buena ciencia para obtener lo máximo de cada experimento.

• Realiza cada experimento más de una vez. Eso impide que los errores accidentales sesguen los resultados. Cuantas más veces realices un experimento, más fácil te será comprobar si tus resultados son correctos.

• Decide cómo registrarás tus resultados. Hay una gama de distintos métodos a tu disposición, como descripciones, diagramas, tablas y gráficos. Elige métodos que los hagan fáciles de leer y de entender.

• Asegúrate de registrar los resultados mientras realizas el experimento. Si unos resultados parecen muy diferentes de otros podría deberse a un problema del experimento que debes solucionar.

• Dibujar un gráfico con tus resultados ayuda a llenar los huecos del experimento. Imagínate, por ejemplo, que registras el tiempo en la parte inferior de un gráfico contra la temperatura que recoges en vertical, a un lado. Si mides la temperatura diez veces, la llevas sobre el gráfico en forma de puntos y luego unes éstos mediante una recta trazada con una regla, puedes estimar lo que ha sucedido entre cada punto, es decir, entre cada medida: para ello eliges un punto cualquiera de la línea y lees el tiempo y la temperatura que le corresponden en ambos lados del gráfico.

• Aprende de tus errores. Algunos de los descubrimientos más importantes de la ciencia proceden de resultados inesperados. Si tus resultados no se corresponden con tus predicciones intenta averiguar por qué.

• Ten cuidado cuando llevas a cabo o preparas un experimento, sea peligroso o no. Asegúrate de que conoces las normas de seguridad antes de empezar a trabajar.

• No empieces nunca un experimento hasta que le hayas explicado a un adulto lo que piensas hacer.

ÁCIDOS Y BASES

Ácidos y bases son compuestos que, al reaccionar juntos, se neutralizan y forman agua y una sal. Hay ácidos, bases y sales por todas partes: el vinagre es un ácido; el bicarbonato, una base; la sal de mesa, una sal.

La palabra "ácido" deriva de la voz latina *acidus*, que significa agrio, el sabor típico de los ácidos comestibles. Las uvas contienen ácido tartárico; las bebidas con gas, ácido carbónico, que se origina cuando el dióxido de carbono se disuelve en agua. Las baterías de coche contienen un ácido muy fuerte llamado sulfúrico, que quema la piel; nuestros estómagos, ácido clorhídrico, que colabora en la digestión de los alimentos.

Todos los ácidos contienen hidrógeno y, cuando se disuelven en agua, los átomos de hidrógeno se convierten en iones hidrógeno (su símbolo es H^+), es decir, pierden un electrón y adquieren

Los cítricos, como los limones, las limas o las naranjas, contienen ácido cítrico, que les da su sabor agrio. El ácido cítrico se añade a muchos alimentos durante su procesado.

carga positiva. Cuando un ácido débil, como el cítrico, se disuelve en agua, sólo una pequeña parte de sus átomos de hidrógeno se disuelven y se convierten en iones, pero, si el ácido es fuerte, ocurre al contrario. En la industria se usan los ácidos fuertes para grabar (corroer) metales; por ejemplo, en la fabricación de chips de ordenador.

La base es una sustancia que, al disolverse en agua, forma iones hidróxido con carga negativa (OH^-). Las disoluciones de bases fuertes forman

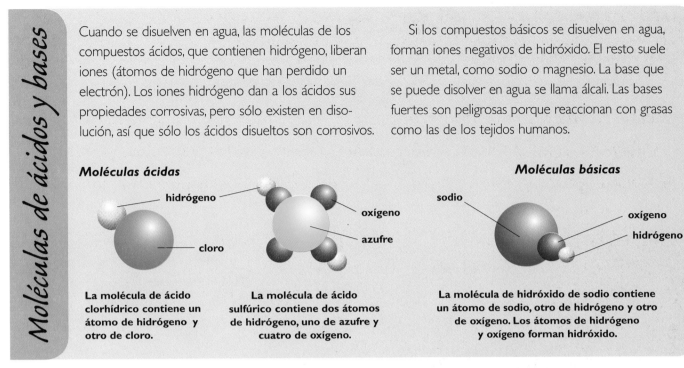

Moléculas de ácidos y bases

Cuando se disuelven en agua, las moléculas de los compuestos ácidos, que contienen hidrógeno, liberan iones (átomos de hidrógeno que han perdido un electrón). Los iones hidrógeno dan a los ácidos sus propiedades corrosivas, pero sólo existen en disolución, así que sólo los ácidos disueltos son corrosivos.

Si los compuestos básicos se disuelven en agua, forman iones negativos de hidróxido. El resto suele ser un metal, como sodio o magnesio. La base que se puede disolver en agua se llama álcali. Las bases fuertes son peligrosas porque reaccionan con grasas como las de los tejidos humanos.

Moléculas ácidas

hidrógeno

oxígeno

azufre

cloro

La molécula de ácido clorhídrico contiene un átomo de hidrógeno y otro de cloro.

La molécula de ácido sulfúrico contiene dos átomos de hidrógeno, uno de azufre y cuatro de oxígeno.

Moléculas básicas

sodio

oxígeno

hidrógeno

La molécula de hidróxido de sodio contiene un átomo de sodio, otro de hidrógeno y otro de oxígeno. Los átomos de hidrógeno y oxígeno forman hidróxido.

muchos iones y las de bases débiles, menos. Tanto los ácidos como las bases fuertes son peligrosos en disoluciones concentradas. Las bases débiles, como el bicarbonato, sí se pueden tocar y su tacto es jabonoso.

En las disoluciones de ácidos y bases, los iones hidrógeno y de hidróxido se combinan y forman agua (H_2O), que no es un ácido ni una base, sino una sustancia "neutra", y otros nuevos iones forman sales, generalmente también neutras. Cuando el ácido clorhídrico y el hidróxido de sodio reaccionan, forman cloruro sódico (sal común) y agua.

La fuerza de ácidos y bases se mide con la escala pH, que va de 1 a 14 e indica la proporción de iones hidrógeno. Una disolución con pH 1 es un ácido fuerte (muchos iones hidrógeno), y con pH 14 es una base fuerte (pocos iones hidrógeno y muchos de hidróxido). Una disolución con pH 7, como el agua, es neutra: igual número de iones hidrógeno e hidróxido.

En la naturaleza, los ácidos y las bases guardan un equilibrio delicado; si el pH de un estanque cambiara mucho, sus plantas y animales morirían. En nuestros cuerpos ocurre igual, ya que las reacciones químicas de los seres vivos se producen en un intervalo pequeño de pH.

Indicadores

Hay varios modos de medir el pH de las sustancias, pero lo más frecuente es usar un indicador, que es una sustancia que cambia de color en función de la fuerza del ácido o de la base. El papel tornasol se vuelve rojo con los ácidos y azul con las bases. El papel pH adquiere distintos colores (ver abajo), dependiendo de la intensidad del ácido o la base en la que se introduce.

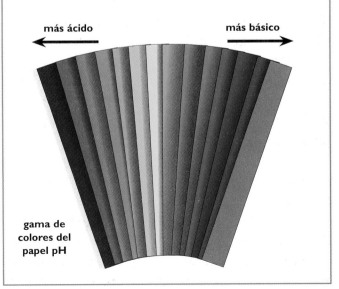

más ácido ← → más básico

gama de colores del papel pH

Hacer un indicador

Objetivos

1. **Hacer tu propia disolución indicadora.**
2. **Usarla para ver si ciertos líquidos son ácidos, neutros o básicos.**

Vas a necesitar:

- lombarda
- cazo esmaltado o de acero inoxidable, o cazuela de microondas
- un litro de agua
- cocina o microondas
- cuchillo y tabla de cortar
- jarra graduada (o vaso graduado) de 500 ml (½ litro)
- colador
- vinagre y bicarbonato
- cucharilla y dos frascos

1 Corta la lombarda, ponla con el agua en el cazo, tápalo y déjalo hervir 30 minutos.

2 Cuando el agua de la cocción se enfríe, cuélala en la jarra.

Seguridad

Sé cuidadoso cuando manipules agua caliente y cuchillos. Pide siempre a un adulto que esté a tu lado.

Lluvia ácida

El agua de lluvia es algo ácida porque disuelve el dióxido de carbono del aire, formando ácido carbónico. Si es demasiado ácida, daña las plantas, los animales y los edificios. Cuando se queman combustibles fósiles como el carbón o el petróleo, se liberan gases ácidos que se disuelven en el agua de las nubes y forman ácidos fuertes, dando lugar a la lluvia ácida.

3 Vierte 50 ml (= 5 cl = 0,5 dl) de caldo en un frasco. Añade ½ cucharadita de bicarbonato y remueve. Fíjate en el cambio de color del caldo.

Resolución de problemas

¿Y si el indicador no cambia de color?

Si analizas un líquido de color oscuro, como el zumo de uvas negras, te será difícil ver el cambio de color. Este tipo de indicador sólo funciona con líquidos incoloros o de colores claros, y con polvos solubles.

4 Vierte 50 ml de caldo en otro frasco y añade ½ cucharadita de vinagre. ¿De qué color se vuelve el caldo?

5 Ahora vierte el contenido de un frasco en el otro y observa lo que ocurre.

SEGUIMIENTO

Hacer un indicador

Si mides el pH de distintas bebidas, como gaseosa, café, té y zumos, verás que muchas de ellas son ácidas.

También puedes analizar la acidez de la lluvia. Pon un frasco en el exterior un día que llueva y recoge agua. Puede ser que en la zona en que vives la lluvia sea ácida. También aprenderás mucho analizando el agua de lugares como tu casa, tu colegio o los edificios públicos. ¿Y el agua de la piscina? El agua de beber ¿es más ácida o más básica en unos lugares que en otros? Lo ideal es que sea casi neutra; si no, no es saludable.

▶ *Con tu indicador casero puedes analizar la acidez de gran variedad de líquidos.*

ANÁLISIS

Ácidos y bases

La lombarda tiene pigmentos llamados antocianinas, cuyo cambio de color depende de la cantidad de iones hidrógeno de la disolución. El indicador de lombarda suele volverse rojo en presencia de un ácido y púrpura o azul oscuro en presencia de una base.

Pruébalo con algún medicamento antiácido. Nuestro estómago produce ácidos que colaboran en la digestión pero, a veces, sobre todo si estamos disgustados o nerviosos, produce demasiados y empieza a digerir las propias paredes estomacales. Esto provoca indigestión y puede causar una lesión llamada úlcera. Los medicamentos contra la acidez neutralizan ese exceso de ácido. El principal ingrediente de la leche de magnesia es el hidróxido de magnesio. ¿De qué color crees

● *Páramo cubierto de brezo. El color de las flores del brezo depende en parte de la acidez del suelo.*

que se volverá el indicador? Comprueba si has acertado.

Una técnica de laboratorio que se sirve de indicadores es la valoración química. Durante ella, se añade gota a gota un reactante al otro hasta que el indicador cambia de color, señalando el fin de la reacción. Puedes hacer una valoración con tu indicador para saber cuándo se neutralizan un ácido y una base.

Para empezar, observa el cambio de color que sufre un poco de ácido, como el vinagre, al añadirle caldo de lombarda. Luego, con un cuentagotas, añade a la mezcla un poco de base, como limpiacristales (que contiene amoniaco). Cuando la disolución se vuelva púrpura de nuevo, habrás echado suficiente base para neutralizar el ácido. Cuantas más gotas de base necesites, más fuerte será el ácido.

Iones en disolución

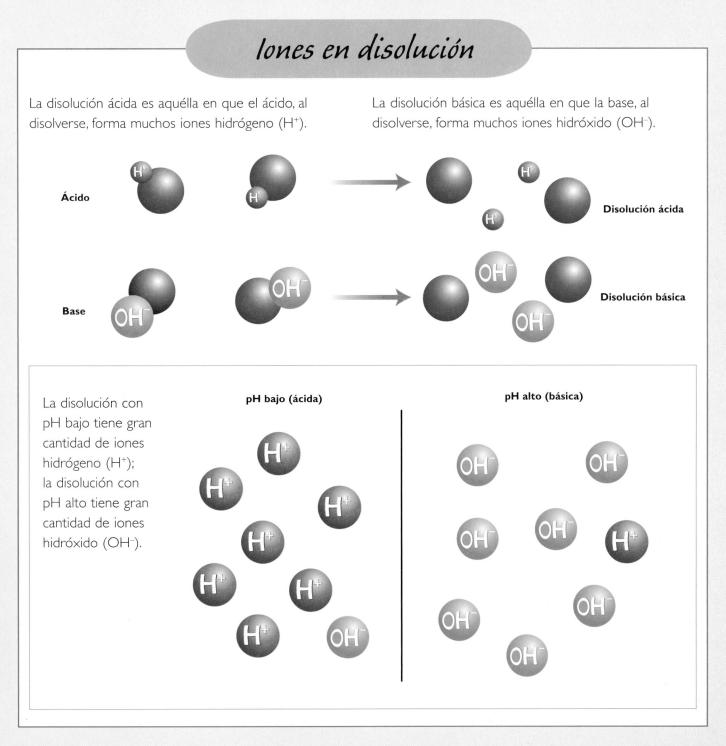

La disolución ácida es aquélla en que el ácido, al disolverse, forma muchos iones hidrógeno (H^+).

La disolución básica es aquélla en que la base, al disolverse, forma muchos iones hidróxido (OH^-).

Ácido

Base

Disolución ácida

Disolución básica

La disolución con pH bajo tiene gran cantidad de iones hidrógeno (H^+); la disolución con pH alto tiene gran cantidad de iones hidróxido (OH^-).

pH bajo (ácida)

pH alto (básica)

ACTIVIDAD 2
JABÓN SALADO

La sal de mesa, el yeso, las sales de baño y el jabón son algunos de los compuestos llamados sales. Algunas sales se pueden disolver en agua, pero otras no.

Alguna vez te habrás preguntado por qué limpia más el agua y el jabón que el agua sola, o por qué el jabón no se ensucia. El agua disuelve muchas sustancias, pero la grasa no. Para disolver la grasa hay que descomponerla antes, y el jabón la descompone. Puede hacerlo porque es una sal.

Ya conoces una de las sales, el cloruro sódico (NaCl) o sal de mesa. El cloruro sódico se disuelve con facilidad en el agua. Así se encuentra en el agua marina, de la que se extrae por evaporación. En forma sólida constituye un mineral

El jabón se utiliza ahora con mucho más entusiasmo que en cualquier otro momento de sus 3 000 años de historia.

llamado halita. La sal es necesaria para la vida animal, y sirve para aderezar o conservar los alimentos.

Químicamente hablando, las sales son compuestos de un metal y un no metal, y se forman al reaccionar un ácido y una base. Por ejemplo, cuando el ácido clorhídrico (HCl, un ácido fuerte) y el hidróxido de sodio (NaOH, una base fuerte) se mezclan, los iones de sodio (metal) se combinan con iones de cloro para formar cloruro sódico (NaCl). La reacción también produce agua (H_2O).

El jabón se fabrica con grasas animales o vegetales, que son ácidas. Cuando las grasas hierven con una base fuerte (hidróxido de sodio) se forma una sal (jabón). Las sales de baño (carbonato de sodio) se hacen con ácido carbónico.

Incluso el agua potable contiene sales, sobre todo de los metales calcio y magnesio. Algunas

🔘 *El agua que hierve y se evapora de una tetera deja una capa de sales (muy aumentadas en la imagen). Si tu agua es dura, tu tetera, cafetera o caldera pueden atascarse por las incrustaciones.*

no se disuelven en el agua y se quedan en ella como impurezas. Si el agua contiene muchas sales (agua dura), el jabón no hace casi espuma, porque se mezcla con ellas y forma una costra que dificulta la limpieza y, bebidas en exceso, son perjudiciales para el organismo: pueden solidificarse y formar piedras en los riñones o en la vesícula lo que, además de doloroso, afecta el funcionamiento de esos órganos.

Podrás descubrir si el agua de tu casa es dura o blanda en la actividad siguiente.

Hidrófilo e hidrófobo

Las moléculas de jabón constan de cadenas de átomos de hidrógeno y de carbono. En un extremo de la cadena hay un grupo de átomos a los que el agua atrae (hidrófilos), y en el otro, un grupo a los que el agua repele (hidrófobos), pero a los que atrae la grasa. Cuando lavas los platos, los extremos hidrófobos de las moléculas del jabón rodean las manchas de grasa y se adhieren a ella, formando un conjunto soluble en agua. Esto nos permite quitar la grasa. Lo mismo ocurre con la grasa natural que fabrican nuestros cuerpos. Esta grasa se ensucia y, cuando nos lavamos con jabón, éste arrastra la grasa y la suciedad.

extremo hidrófilo del jabón

extremo hidrófobo del jabón

Los extremos hidrófobos de las moléculas de jabón se pegan a la suciedad, y los extremos hidrófilos siguen al agua y arrastran la suciedad.

¿Qué dureza tiene tu agua?

ACTIVIDAD

Objetivos

1. **Averiguar la dureza de tu agua.**
2. **Comparar los resultados de los análisis de distintas aguas.**

Vas a necesitar:

- *tres frascos pequeños con tapa de rosca (de comida para bebés)*
- *lavavajillas*
- *cuentagotas*
- *agua destilada*
- *agua del grifo*
- *sal*
- *jarra graduada*
- *cucharilla*

1 Echa las mismas cantidades de agua destilada y de lavavajillas en la jarra. Mezcla bien para hacer la disolución.

2 Llena hasta la mitad el primero de los frascos con agua del grifo. Llena hasta la mitad con agua destilada el segundo y el tercero. Después, añade una cucharadita de sal común al tercer frasco.

3 Añade una gota de jabón al primer frasco (el de agua del grifo), tápalo y agítalo tres veces. ¿Se hace espuma?

¿Y si no se hace espuma en el frasco, aunque eche varias gotas de jabón?

Puede que vivas en una zona de agua muy dura (agua con muchas sales y minerales). Si tu agua es muy dura no obtendrás espuma en el frasco.

4 Si no hay espuma, añade otra gota de jabón, y agita de nuevo. Sigue echando jabón, gota a gota, y agita hasta que obtengas espuma.

5 Anota las gotas de jabón que has añadido para que se haga espuma. Repite esta prueba con los otros dos frascos.

SEGUIMIENTO ¿Qué dureza tiene tu agua?

Como el agua puede contener distinta cantidad de sales, puede tener varios grados de dureza. Analiza el agua de otros lugares, como tu colegio, las fuentes del parque o el lugar de trabajo de tus padres. Haz un cuadro con los lugares (en vertical) y las gotas de jabón necesarias para hacer espuma (en horizontal). Antes, debes hacerte un kit de prueba portátil. Mete en una caja pequeña: un cuentagotas, un vaso graduado, un frasco con tapa de rosca, otro frasco con un poco de tu mezcla de jabón, un cuaderno, un lápiz y unas toallitas de papel. Usa el vaso graduado para echar siempre la misma cantidad de agua al frasco de prueba. Cuando quieras analizar un agua, mide una cantidad y échala al frasco vacío, haz el análisis y escribe el resultado. Luego tira el agua usada, lava el frasco y el cuentagotas, y sécalos con toallitas de papel. Tu kit estará listo para otro análisis.

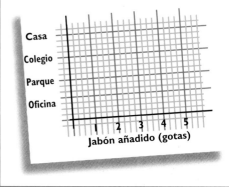

Puedes analizar la dureza de diferentes aguas minerales.

ANÁLISIS

Jabón salado

El agua dura mezclada con jabón no da espuma, porque sus átomos de calcio o de magnesio reemplazan a los átomos de sodio del jabón y forman una costra insoluble.

El agua destilada no tiene minerales (sales), por lo que hace espuma con poco jabón. Si le añades sal, la endureces, y hace falta mucho más jabón para espumarla. La cantidad de jabón con que haga espuma el agua del grifo dependerá de la dureza del agua de tu zona. Esta dureza cambia de una población a otra e incluso de un barrio a otro. Si has realizado la actividad de seguimiento, probablemente hayas encontrado distintas durezas.

El agua del subsuelo suele ser más dura que la de ríos o lagos, porque contiene carbonato de calcio, sal que se encuentra en las rocas que la rodean. Si hierves este tipo de agua en un cazo hasta que se evapore, verás que en el fondo queda incrustada una sustancia blanca y escamosa. Eso es la sal carbonato de calcio.

Como el agua muy dura dificulta la limpieza, atasca lavadoras y cañerías, y causa incluso problemas de salud, muchas personas utilizan un dispositivo llamado ablandador de agua o intercambiador iónico, que se suele colocar en los grifos.

Con este dispositivo, los iones de calcio y magnesio de las sales del agua se reemplazan por iones de sodio, ya que las sales de sodio son solubles y no forman costra con el jabón. Para efectuar el intercambio iónico, el agua atraviesa una columna de bolitas de plástico cubiertas de iones de sodio, que reemplazan los iones de calcio y magnesio de las sales del agua. El agua resultante es más blanda y hace más espuma. Llega un momento en que los iones de calcio y magnesio del agua entrante reemplazan los iones de sodio del intercambiador, por lo que las bolitas ablandadoras deben reponerse.

Además del jabón, hay varias familias de sales que proceden de distintos ácidos. Los sulfatos provienen del ácido sulfúrico (el yeso es sulfato de calcio). Los cloruros pueden fabricarse con el gas cloruro de hidrógeno o con ácido clorhídrico, aunque otros cloruros, incluyendo la sal de mesa (cloruro sódico), se extraen del agua marina. Los carbonatos como las sales de baño (carbonato de sodio) se hacen con ácido carbónico, que es una disolución del gas dióxido de carbono en agua.

Fabricar jabón

La gente lleva miles de años haciendo jabón. Se elabora calentando lejía (una disolución básica muy fuerte) con grasa animal o vegetal. Hasta el siglo XX la lejía se obtenía filtrando agua a través de cenizas de maderas duras.

Se cree que los inventores del jabón fueron los romanos, unos 1000 años a. C. Dice la leyenda que la grasa de un animal sacrificado cayó a las cenizas de un fuego, y que la mezcla llegó al río Tíber. Allí lavaban unas mujeres que descubrieron lo bien que limpiaba esa sustancia. El jabón de aquellos tiempos era muy fuerte para la piel y sólo servía para lavar ropa. Algunas personas, como las africanas de la foto inferior, siguen haciendo a mano el jabón; esto ocurre aún en muchos lugares, pero ahora los artesanos compran la lejía, y añaden colorantes, aromas y otras sustancias al jabón.

ACTIVIDAD 3
LA COMBUSTIÓN

La combustión es uno de los cambios químicos más corrientes.
Cuando una sustancia arde, se combina con el oxígeno del aire, formando
nuevas sustancias y desprendiendo energía calorífica y luminosa.

Durante una reacción química, los enlaces químicos de los reactantes (sustancias de la reacción) se rompen, dando lugar a enlaces nuevos que crean las moléculas del producto. Las propiedades de los productos suelen ser distintas a las de los reactantes. A diferencia de una reacción física, como la mezcla de arena y agua, la reacción química es difícil de invertir para recuperar las sustancias originales.

La rotura de enlaces consume energía, mientras que la formación de otros nuevos la libera.

Los fuegos artificiales contienen explosivos que reaccionan con el aire cuando se encienden (se les da una energía inicial), produciendo una espectacular reacción exotérmica.

Si la producción de enlaces nuevos libera más energía de la necesaria para romper los viejos, se desprende energía en la reacción, normalmente en forma de calor o luz. En caso contrario, la reacción necesita energía supletoria. Si los reactantes tienen más energía que los productos, la

Reacciones químicas

En las reacciones químicas, la materia y la energía cambian, pero no se crean ni se destruyen. Por ejemplo, cuando el metano (un gas natural, como el de tu cocina) arde con oxígeno, se forman nuevos tipos de materia (dióxido de carbono y agua), y la energía química de las moléculas de los reactantes se transforma en energía calorífica y luminosa.

Las reacciones se describen con una ecuación que incluye las fórmulas y los símbolos de los reactantes y los productos. La energía y la materia de ambas partes de la ecuación deben ser iguales. En la inferior, se calienta metano (CH_4), que reacciona con el oxígeno (O_2) del aire y produce dióxido de carbono (CO_2) y agua (H_2O).

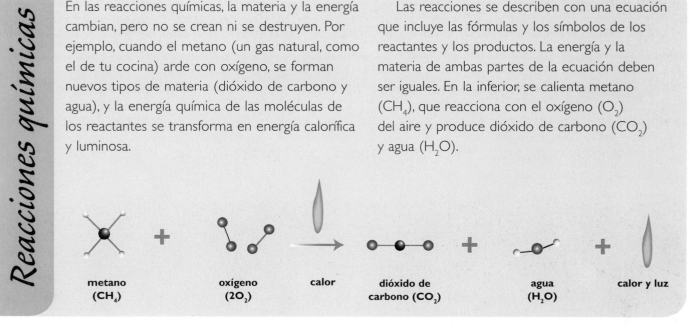

| metano (CH_4) | oxígeno ($2O_2$) | calor | dióxido de carbono (CO_2) | agua (H_2O) | calor y luz |

reacción absorbe energía. Estas reacciones se llaman endotérmicas, porque toman energía calorífica de alrededor.

Si te pones una bolsa de frío químico sobre una lesión, estás sacando partido de una reacción endotérmica. Cuando doblas la bolsa, rompes la separación entre las dos sustancias del interior, y la reacción entre ambas absorbe calor (en este caso de una zona de tu cuerpo).

Las reacciones que desprenden calor, como la combustión, se llaman exotérmicas. Por ejemplo, cuando la madera arde, los reactantes (madera y oxígeno) tienen más energía que los productos (dióxido de carbono, vapor de agua y ceniza). Esta energía se desprende en forma de calor y luz (llamas).

Si la combustión desprende calor, ¿por qué hace falta encender el fuego? La mayoría de las reacciones químicas no empiezan solas: necesitan un "empujón" de energía, normalmente en forma de calor. Incluso una reacción exotérmica como la combustión necesita algo de calor para iniciarse. Por eso hay que calentar un poco la madera antes de que arda.

La combustión requiere oxígeno, por lo que muchos extintores funcionan aislando el fuego del oxígeno. Aquí podrás experimentar con un extintor así.

Madera que arde

Las reacciones de combustión desprenden energía en forma de calor. Cuando una sustancia arde, se combina con oxígeno para formar un compuesto llamado óxido. Casi todos los combustibles, como la madera de la imagen inferior, contienen hidrógeno y carbono. Al arder, el hidrógeno produce agua (vapor), y el carbono, dióxido de carbono (gas). En espacios cerrados donde hay poco oxígeno, el carbono que arde produce monóxido de carbono, un gas tóxico.

Tareas de extinción

Objetivos

1. **Ver cómo funcionan los extintores.**
2. **Crear y controlar una reacción.**

Vas a necesitar:

- vela
- frasco con tapa
- tubo de plástico de 30 cm de largo
- bicarbonato y vinagre
- arcilla de modelar
- cuenco de cristal refractario
- cuchara

1 Pide a un adulto que haga un agujerito en la tapa del frasco. Pon la vela en el cuenco y dile a un adulto que la encienda.

2 Inserta el tubo en la tapa.

3 Para que no haya fugas entre el tubo y la tapa, sella la unión con arcilla de modelar.

Seguridad

Ten cuidado con el fuego. Debes pedirle a un adulto que supervise el experimento y que encienda la vela. Cuando apuntes el tubo hacia la vela encendida, no pongas el tubo ni los dedos demasiado cerca de la llama.

4 Echa cuatro cucharadas de bicarbonato al frasco.

Resolución de problemas

¿Y si la llama disminuye pero no se apaga?

Para producir suficiente dióxido de carbono para apagar la llama, tendrás que usar más bicarbonato y más vinagre que las cantidades que se indican. Ello dependerá de los tamaños del frasco, del tubo y de la llama de la vela.

5 Añade dos cucharadas de vinagre al bicarbonato y tapa rápidamente el frasco.

6 Apunta el tubo hacia la llama de la vela. ¿Cuánto tarda en apagarse?

SEGUIMIENTO **Tareas de extinción**

Puedes hacer de otro modo el mismo experimento. Necesitarás: vela corta, bicarbonato, vinagre, cuenco pequeño y refractario, cuchara y cerilla. Pide ayuda a un adulto.

1 Pon la vela en el cuenco y echa bicarbonato alrededor de ella. Pídele a un adulto que la encienda.

2 Vierte vinagre en el bicarbonato. ¿Qué ocurre? La vela debe apagarse, porque el dióxido de carbono separa el oxígeno de la mecha y la cera, que, en este caso, alimentan el fuego.

ANÁLISIS
La combustión

La combustión es una reacción química que sólo ocurre en presencia de tres cosas: combustible (algo capaz de arder), oxígeno y calor (en cantidad suficiente para empezar la reacción). Para apagar un fuego, hay que quitar una de las tres. Por eso, en un incendio forestal, los bomberos cortan árboles (quitan combustible) de la trayectoria del fuego, echan agua para enfriarlo (quitan calor) o arrojan desde aviones sustancias que eliminan el oxígeno.

Los fuegos domésticos pequeños pueden apagarse con métodos parecidos. Lo mejor suele ser cortar el suministro de oxígeno. Muchos extintores contienen dióxido de carbono, que es más pesado que el oxígeno, y aparta a éste del fuego. Tirar una manta ignífuga o una toalla húmeda sobre el fuego también corta el suministro de oxígeno. Algunos fuegos pueden apagarse con agua, pero nunca debes hacerlo si el fuego es eléctrico (sufrirías una descarga letal) o de aceite (el aceite ardiente flotaría sobre el agua y el fuego aumentaría).

En tu extintor casero la reacción entre bicarbonato y vinagre da dióxido de carbono. Si el gas se produce en cantidad suficiente, llena el frasco y sale por el tubo. Cuando apuntas éste a la vela, el dióxido de carbono aparta el aire de la llama, que, sin oxígeno, se apaga.

ACTIVIDAD 4
LOS METALES SON SALUDABLES

El aluminio de los recipientes y la plata de las joyas son metales visibles, pero también hay metales ocultos en otras sustancias: la hemoglobina de la sangre contiene hierro; la clorofila de las plantas, magnesio.

Casi todos los elementos químicos son metales, y casi todos los metales son sustancias duras y brillantes que conducen bien el calor y la electricidad. Algunos como el hierro, el cobalto y el níquel pueden convertirse en potentes imanes. La mezcla de metales, o de metales y no metales, proporciona aleaciones, como el acero y el latón, con propiedades similares a los metales. También pueden combinarse con otras sustancias, dando compuestos de propiedades muy distintas. Por ejemplo, el hierro mezclado con aire y agua da orín.

METALES DE TRANSICIÓN

Los llamados "metales de transición", como el hierro, el níquel, el cobre, el cinc, la plata y el oro, suelen tener puntos de fusión muy altos, son muy duros y reaccionan con no metales dando compuestos de colores vivos. Los compuestos del hierro, como el orín y la hemoglobina de las células sanguíneas, son rojos. Muchos compuestos del cobre son azules o verdes (observa el color de los tejados viejos de cobre que han reaccionado con la atmósfera).

El hierro es básico para los humanos porque, gracias a él, la hemoglobina de los glóbulos rojos atrapa oxígeno en los pulmones y lo transporta por todo el cuerpo. Sin embargo, como nuestro cuerpo no puede fabricarlo, debemos ingerirlo con la alimentación diaria. Las verduras como las espinacas contienen mucho y también lo encontrarás en ciertos cereales para el desayuno, ya que algunos fabricantes lo añaden para "enriquecer" el cereal. Podrás extraer ese hierro para que compruebes que es el mismo con que se fabrican los clavos.

En estado sólido, los metales forman cristales (agrupaciones regulares de átomos o moléculas), que suelen ser duros y fuertes. Esta foto aumentada muestra los cristales de plata de una película fotográfica.

El hierro de tu desayuno

ACTIVIDAD

Objetivos

1. **Extraer hierro de los cereales para desayuno.**
2. **Comparar la cantidad de hierro de distintos cereales.**

Vas a necesitar:

- *cereales ricos en hierro*
- *jarra graduada*
- *bolsas para sándwich, con cierre hermético*
- *martillo para ablandar carnes*
- *cuenco*
- *agua*
- *cuchara*
- *lápiz con goma de borrar*
- *imán*
- *bolsa de plástico pequeña*
- *celo*
- *papel de cocina*

1 Echa 200 g de cereales en la bolsa con cierre hermético. Aplana la bolsa para sacar el aire y ciérrala bien.

2 Golpea el cereal con el martillo hasta convertirlo en polvo.

3 Echa el cereal en el cuenco y añade 200 ml de agua. Remueve bien.

4 Pega con celo el imán redondo al extremo con goma del lápiz y séllalo con la bolsita de plástico y el celo.

Resolución de problemas

¿Y si no se pega hierro al imán?

Repite el experimento añadiendo más agua al cereal, removiendo más tiempo y usando un imán más potente. También puedes echar el imán directamente al cereal y remover con una cuchara de plástico. Luego saca el imán y sécalo con papel de cocina.

5 Remueve el cereal con el lápiz-imán unos 10 minutos (si hicieras esto en clase de ciencias, puedes servirte de un agitador magnético, con lo cual no tendrías que remover).

6 Saca el imán del cuenco y seca con papel de cocina la bolsa que lo contiene. La sustancia negra y polvorienta adherida al papel es el hierro.

SEGUIMIENTO

El hierro de tu desayuno

Repite el experimento con otros cereales para averiguar cuál tiene más hierro.

1 Echa 200 g de cereal en una bolsa limpia con cierre y aplástalo. Con ello los resultados que obtengas serán más exactos.

2 Echa el cereal en polvo a un cuenco, añade 200 ml de agua y mezcla bien.

Puedes separar el hierro del cereal con un imán recubierto de plástico.

ANÁLISIS

Los metales son saludables

Has hecho el experimento con 200 g de cereales, lo que equivale a una ración.

Tu cuerpo necesita hierro en forma de hierro ferroso: iones de hierro que se originan cuando un átomo de hierro pierde dos electrones. Sin embargo, casi todos los cereales contienen limaduras diminutas de hierro (átomos, no iones), que reaccionan con el ácido clorhídrico y otras sustancias del estómago para que nuestro cuerpo fabrique hemoglobina y otros compuestos esenciales.

Cuando mezclas el cereal triturado con agua, haces lo que los químicos llaman una suspensión: mezcla de una sustancia sólida y agua, en la que la sustancia no llega a di-solverse. Si aplicaras un campo magnético sólo al cereal, la fuerza del imán no bastaría para extraer el hierro, pero aplastando el cereal y mezclándolo con agua, liberas el hierro del cereal y el imán lo atrae.

Ciertas marcas de cereales llevan el hierro muy molido; en ese caso, verás que queda una capa o película de hierro sobre el imán, en vez de copitos de hierro.

Es importante que consumas hierro: si ingieres menos de lo debido, tu cuerpo no podrá fabricar hemoglobina, tu sangre no será capaz de transportar suficiente oxígeno y tú sufrirás un trastorno llamado anemia ferropénica, que te hará sentirte cansado y débil. Tienen propensión a la anemia las mujeres, porque pierden glóbulos rojos todos los meses en la menstruación (también pueden sufrirla durante el embarazo), y los niños, porque necesitan mucho. Es un trastorno corriente en todo el mundo, sobre todo en los países pobres, pero se cura con suplementos de hierro.

Muchos cereales afirman que una ración proporciona el 100 por ciento del hierro y las vitaminas que se necesitan al día. Esa ración sustituiría a los suplementos de hierro, ya que un consumo excesivo es perjudicial, por ejemplo para el riñón. Pero lo mejor es que obtengas tu hierro tomando patatas, verduras, pan integral, carne magra y vitamina C (naranja o similar) en la misma comida.

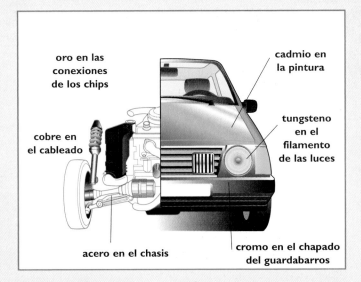

oro en las conexiones de los chips

cadmio en la pintura

cobre en el cableado

tungsteno en el filamento de las luces

acero en el chasis

cromo en el chapado del guardabarros

Este coche contiene varios metales de transición en forma de elementos, aleaciones y compuestos. El acero del chasis es un ejemplo de aleación de hierro.

Tabla periódica

La tabla periódica es un listado de los elementos según su número atómico (número de protones de sus átomos). Se basa en la tabla de 1869 del ruso Dimitri Mendeléiev (1834-1907). Entonces sólo se conocían 63 elementos, pero Mendeléiev dejó espacios que fueron llenados cuando se descubrieron elementos nuevos. Los de la misma columna (o grupo) tienen propiedades similares. Hay 92 naturales, y los físicos han creado más de 20 en laboratorio.

número atómico (número de protones del núcleo)

6
C
carbono

símbolo del elemento

nombre del elemento

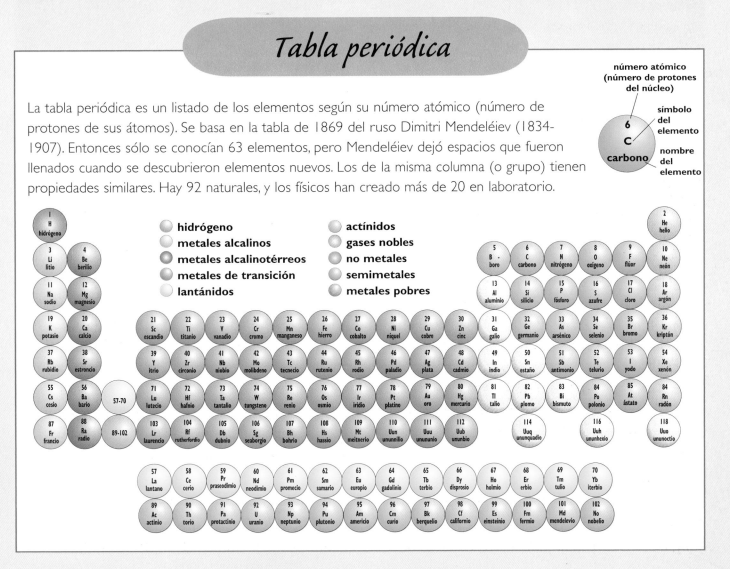

- hidrógeno
- metales alcalinos
- metales alcalinotérreos
- metales de transición
- lantánidos
- actínidos
- gases nobles
- no metales
- semimetales
- metales pobres

POLÍMEROS ABSORBENTES

ACTIVIDAD 5

El plástico, las fibras de tu ropa o tu pelo constan de moléculas grandes llamadas polímeros, que pueden ser rígidos o flexibles, impermeables o absorbentes, y que tienen muchas otras propiedades.

Los polímeros son moléculas grandes obtenidas uniendo moléculas pequeñas e idénticas, llamadas monómeros. Ambas palabras derivan de voces griegas: *poli* significa "muchos"; *mono*, "uno"; y *mero*, "parte".

Los polímeros se basan en una *columna vertebral* de átomos de carbono. De todos los elementos, el carbono es el único cuyos átomos pueden unirse con otros átomos de carbono y formar cadenas de casi cualquier longitud.

Los polímeros abundan en la naturaleza. La lana de las ovejas, las partes fibrosas de las plantas o el ADN, la molécula que contiene la información genética, son polímeros. También lo son los materiales sintéticos más corrientes, los plásticos.

El plástico polietileno, muy usado en bolsas y láminas, se basa en un mo-

nómero llamado etileno, que se compone de dos átomos de carbono y cuatro de hidrógeno. Los etilenos se unen mediante un proceso llamado polimerización por adición, en el que los monómeros se engarzan extremo con extremo. Otros polímeros se hacen mediante polimerización por condensación, en la que cada monómero pierde algunos átomos para enlazarse al siguiente.

PROPIEDADES DE LOS POLÍMEROS

Muchas de las propiedades de los polímeros dependen de la unión entre sus cadenas. Si la unión es débil, de forma que las cadenas puedan deslizarse unas sobre otras al recibir calor, el polímero se funde y vuelve a endurecerse cuando se enfría. Los plásticos que después de fundirse se pueden moldear se deno-

🔲 *El material absorbente del pañal es un polímero capaz de empaparse y retener gran cantidad de líquido.*

minan termoplásticos. Otros polímeros tienen las cadenas muy trabadas. Estos plásticos, llamados termoestables, no pierden su forma por la acción del calor. Las sillas de plástico suelen ser de este tipo.

En los seres vivos, los polímeros biológicos se rompen en monómeros por la acción de las enzimas (catalizadores biológicos) para que nuestros cuerpos puedan asimilarlos. Para analizar el ADN, los científicos trocean la muestra con enzimas. La disposición de esos segmentos de ADN es única, e identifica al sujeto como una huella dactilar.

Según sus propiedades, los polímeros tienen múltiples usos. Los plásticos pueden tener la dureza suficiente para una carcasa de ordenador o la flexibilidad precisa para bolsas o ropa. Algunos soportan temperaturas extremas o sustancias corrosivas, unos son impermeables y otros superabsorbentes, como los de los pañales. En la actividad siguiente estudiaremos estos últimos y veremos la forma en que absorben los líquidos.

El polímero del pañal

Como todos los polímeros, la poliacrilamida, uno de los que llevan los pañales, se compone de largas cadenas de moléculas. El diagrama inferior muestra cómo se enlaza el agua con el polímero. Los átomos de hidrógeno del polímero, con carga positiva, son atraídos por los átomos de oxígeno del agua, con carga negativa, y se forman uniones llamadas enlaces de hidrógeno.

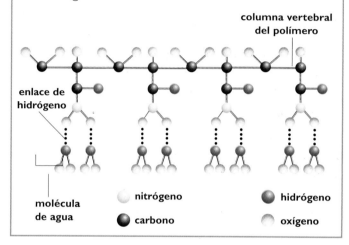

columna vertebral del polímero

enlace de hidrógeno

molécula de agua

○ nitrógeno
● carbono
● hidrógeno
○ oxígeno

Absorber agua y sal

Los primeros pañales de polímeros superabsorbentes aparecieron en la década de 1980. Estos pañales contienen fibras de algodón mezcladas con bolas diminutas de dos polímeros: poliacrilato y poliacrilamida. La capa externa de plástico previene las fugas. Cuando el pañal se humedece, los polímeros se hinchan y traban las fibras de algodón. Sin embargo, la sal de la orina acaba haciendo que los polímeros suelten parte del líquido absorbido, se producen fugas y hay que cambiar el pañal.

Existen polímeros aún más absorbentes, pero, si se usaran para fabricar pañales, éstos adquirirían el tamaño de un bolo de bolera, ¡y serían más bien incómodos!

Las fibras de algodón del pañal están mezcladas con bolas diminutas de polímero.

Cuando se añade agua, las bolas de polímero se hinchan, trabando las fibras de algodón.

Si añadimos sal a un pañal húmedo, o si la concentración de sales es alta porque hay mucha orina, los polímeros liberan parte del agua absorbida y el pañal gotea.

La ciencia del pañal

ACTIVIDAD

Objetivos

1. **Comprobar las propiedades de los polímeros superabsorbentes.**

2. **Averiguar por qué los pañales sólo absorben cierta cantidad de líquido.**

Vas a necesitar:

- *pañales superabsorbentes*
- *tijeras*
- *bolsa de plástico grande con cierre de cremallera*
- *periódico*
- *vaso de plástico*
- *jarra graduada*
- *sal de mesa*
- *cuchara*

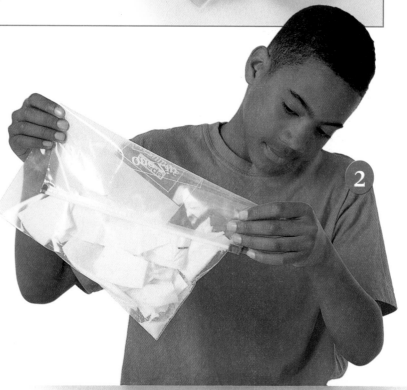

1 En primer lugar, debes retirar el polímero del pañal. Para ello, corta un pañal y mete los trozos en la bolsa de plástico.

2 Cierra bien la bolsa y sacúdela con fuerza durante varios minutos. Verás que los trozos sueltan un polvo blanco. Mete las manos en la bolsa y deshilacha los trozos; ciérrala de nuevo y vuelve a sacudirla.

3 Abre la bolsa, quita los trozos de plástico y las hebras de pañal y tíralos. Pon una hoja de periódico sobre la mesa y echa encima el polvo del pañal. Recoge media cucharada de polvo y échalo al vaso de plástico.

Resolución de problemas

¿Y si no puedo separar las bolitas de polímero del pañal?

Puedes tratar de separarlas del propio pañal con unas pinzas, o bien comprarlas en floristerías o tiendas de jardinería, pidiendo polímero hidroabsorbente.

Seguridad

Ten cuidado con el polvo del polímero: que no entre en contacto con tu cara ni con tus ojos, y no lo respires. Después, tíralo a la basura (no al fregadero ni al inodoro) y lávate bien las manos.

4 Añade 300 ml de agua tibia y remueve. ¿Qué ocurre?

5 Ahora añade media cucharadita de sal de mesa al vaso y remueve. ¿Qué cambios observas?

SEGUIMIENTO La ciencia del pañal

Si tienes una balanza de precisión, repite el experimento con 0,5 g de polímero.

Para averiguar su capacidad de absorción, repite el paso 4. Esta vez, después de añadir 300 ml de agua, sigue añadiendo agua (50 ml por vez), hasta que el polímero no pueda retenerla. Si cae agua cuando des la vuelta al vaso, es que ha alcanzado su capacidad máxima. Calcula ahora su absorción en relación a su peso: 1000 ml de agua pesan 1000 g, luego si 0,5 g de polímero absorben 500 ml de agua, el polímero absorbe 500 g de agua, es decir, ¡1000 veces su peso! También puedes calcular con qué cantidad de sal empieza a gotear. Añade sal, de 0,5 en 0,5 g removiendo cada vez que la eches.

Repite el experimento con distintos líquidos con sales, como Gatorade u otras bebidas isotónicas.

ANÁLISIS
Polímeros absorbentes

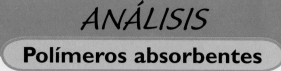

El polvo blanco de los pañales se fabrica con una mezcla de dos polímeros (poliacrilamida y poliacrilato de sodio) capaz de absorber un peso de agua que supera en cientos de veces al suyo. Los monómeros de las dos sustancias rompen algunos de sus enlaces y se unen a las moléculas de agua, pero la sal deshace esas nuevas uniones. La sal es un compuesto de iones de sodio y cloro que, al alcanzar cierta cantidad, hace que el polímero "suelte" las moléculas de agua y se una a los iones de sodio.

Como has visto al romper el pañal, la capa de polímero se encuentra entre dos capas de tejido, la externa cubierta a su vez con plástico. La orina pasa a través del tejido y es absorbida por el polímero, mientras el plástico impide que se salga del pañal. Como la orina es sobre todo agua, el polímero absorbe mucha, pero, una vez que el sodio de la orina alcanza cierto nivel, el polímero empieza a liberar moléculas de agua y el pañal gotea.

Los polímeros superabsorbentes también se utilizan en agricultura y jardinería (cuando riegas una planta, los polímeros absorben mucha agua y la planta puede ir tomándola poco a poco, lo que viene muy bien si te vas de viaje), o para eliminar el agua del combustible de los aviones (el agua impediría quemar el combustible).

ACTIVIDAD 6
LA FERMENTACIÓN

Imagina lo que serían las comidas sin pan, pasteles, queso o yogur. Todos esos alimentos son el resultado del proceso de la fermentación que llevan a cabo organismos diminutos como las bacterias y las levaduras.

Muchos alimentos sufren procesos químicos antes de llegar a la mesa. Por ejemplo, el pan, el queso, el yogur, el vino y la cerveza son producto de la fermentación. Al igual que la respiración, la fermentación convierte los azúcares de los alimentos en energía y residuos. A diferencia de la respiración, la fermentación tiene lugar sin oxígeno. Durante ella ciertos microorganismos, como las levaduras, descomponen los azúcares del alimento, liberando energía. Las levaduras del pan, del vino y de la cerveza realizan una fermentación llamada alcohólica. Las bacterias del yogur y del queso son responsables de otro tipo de fermentación llamada láctica.

La alcohólica empieza cuando la célula de la levadura toma glucosa (un tipo de azúcar). Dentro de la célula, la molécula de glucosa, que contiene una cadena de átomos de carbono, se transforma en dióxido de carbono y etanol (un tipo de alcohol), y se libera una energía que dirige los procesos vitales de la célula. El etanol y el dióxido de carbono se excretan como residuos.

La fermentación de ciertos quesos se realiza con bacterias que producen ácido láctico. Después, el queso envejece en recintos especiales o cuevas, donde a veces se le inyectan mohos.

El pan crece porque durante la fermentación se produce dióxido de carbono. Después de amasarlo, se deja en un lugar templado, donde la levadura descompone los azúcares de la harina, produciendo dióxido de carbono y etanol. Cuando el pan se hornea, el calor mata la levadura y atrapa el gas en la masa, que crece. El pan plano no lleva levadura.

Quizá te preguntes por qué no emborracha el pan si durante la fermentación se produce alcohol. No emborracha porque, cuando se hornea, el etanol se evapora con el calor. El vino y la cerveza fermentan en barricas selladas para que el etanol no se escape.

La cantidad de dióxido de carbono que producen las levaduras es proporcional al azúcar del que disponen. Con esta propiedad, puedes comparar el azúcar de distintos alimentos.

Gas en bolsas

Objetivos

1. Examinar cómo la levadura descompone el azúcar.
2. Observar la fermentación.
3. Controlar la velocidad de la fermentación.

Vas a necesitar:

- cinco bolsas grandes de cierre hermético
- rotulador permanente
- cuchara
- jarra graduada de 500 ml (½ litro)
- 50 g de azúcar
- 50 g de harina
- 50 g de arroz
- 3 galletas
- 50 ml de zumo de una fruta
- rodillo
- agua tibia
- levadura

1 Numera las bolsas de 1 a 5.

2 Tritura las galletas hasta que llenes unos 50 g en la jarra. Métalas en la bolsa 1. Después, sella el arroz en la bolsa 2 y aplástalo con el rodillo.

Bacterias útiles

El yogur se fabrica añadiendo bacterias lácticas a la leche para que fermente. Durante la fermentación, estas bacterias convierten la lactosa (el principal azúcar de la leche) en ácido láctico y espesan la leche al multiplicarse. El ácido láctico da al yogur su sabor agrio.

3 Llena las bolsas del siguiente modo:
bolsa 3: 50 g de azúcar
bolsa 4: 50 g de harina
bolsa 5: 50 ml de zumo.

4 Echa una cucharada de levadura en cada bolsa.

5 Añade 50 ml de agua tibia a cada bolsa y remueve su contenido para mezclarlo.

6 Saca el aire de las bolsas, ciérralas y déjalas en un lugar templado.

7 A los 20 minutos las bolsas deben estar hinchadas. Puedes medir el volumen de cada bolsa metiéndola en la jarra y presionándola con suavidad hasta que llene la jarra lo más posible. ¿Cuánta jarra llena cada bolsa? La bolsa con más azúcar será la que ocupe más espacio.

Resolución de problemas

¿Y si todas las bolsas se hinchan por igual?

Eso significa que todas tienen demasiado azúcar. La levadura ha hecho suficiente dióxido de carbono para llenar todas las bolsas, hasta la del alimento con menos azúcar. Repite el experimento echando menos cantidades de cada sustancia (sólo una cucharada) y sólo un trocito de galleta.

Queso mohoso

Los quesos con venas azules se hacen inyectándoles mohos después de la primera fase de la fermentación. Un tipo de moho, el Penicillium, da al queso azul su color y su sabor. Mientras este queso envejece en cuevas, se le hacen pequeños agujeros para que el moho respire.

SEGUIMIENTO

Gas en bolsas

Hay modos más sabrosos de experimentar con la fermentación. Muchos alimentos, como el yogur y el pan, se fabrican con ella. Puedes demostrar la fermentación y tomar un tentempié si haces tu propio pan.

Necesitarás:
- -300 ml de agua tibia
- -800 g de harina
- -una cucharada de levadura
- -media cucharada de sal
- -dos cucharaditas de aceite
- -cuenco
- -horno
- -bandeja de horno

1 Vierte el agua tibia en el cuenco, añade la levadura y remuévela con una cuchara hasta que se disuelva. Añade la sal y 400 g de harina. Bate la mezcla hasta que quede uniforme.

Vierte poco a poco el resto de la harina para hacer la masa (quizá debas añadir harina).

2 Amasa la mezcla unos 10 minutos (abajo), añadiendo más harina si está muy pegajosa. Añade las dos cucharaditas de aceite. Cubre la masa con un

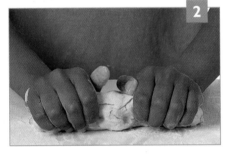

paño y déjala reposar durante una hora. La masa subirá por la acción de la levadura.

3 Vuelve a amasar la masa, cúbrela y déjala reposar otros 30 minutos. Extiende un poco de aceite sobre la bandeja de horno. Da a la masa la forma que quieras, ponla sobre la bandeja, tápala y deja que repose 15 minutos más. Enciende el horno a 230 °C.

4 Coloca la bandeja en la rejilla intermedia del horno y rocíala rápidamente con agua para crear vapor antes de cerrar el horno. Vuelve a abrirlo a los cinco minutos y rocía el pan de nuevo. Rócialo dos veces más, a los 10 y a los 15 minutos. Hornea 25 minutos en total. Pide a un adulto que saque el pan del horno y lo ponga a enfriar sobre una rejilla.

ANÁLISIS

La fermentación

En el experimento todas las bolsas se hinchan. Ello se debe a que todas las sustancias contenían azúcar. La levadura descompone el azúcar durante la fermentación y libera dióxido de carbono, gas que hincha las bolsas. La harina y el arroz no saben dulces pero contienen azúcares naturales. En general, cuanta más azúcar, más se hincha la bolsa. Durante la fermentación, la levadura también produce etanol, pero en las bolsas no se ve porque es mínimo, y no se separa como hace el gas.

▶ *Casi todo el pan de las panaderías, excepto el pan ácimo (plano), lleva levadura.*

Habrás visto que la levadura funciona mejor con azúcares simples, porque son más fáciles de descomponer. El azúcar de la harina, el arroz y las galletas está mezclado con muchos otros tipos de moléculas, por ello la levadura es más efectiva con el azúcar a secas.

Has añadido agua a las sustancias porque la levadura actúa mejor si tiene calor y hu-

medad. Si esperaras más, la levadura gastaría todo el azúcar y las bolsas dejarían de hincharse, pero, si añadieras más azúcar, volvería a actuar.

En el seguimiento, el pan crece porque la levadura se mezcla con el azúcar de la harina y desprende dióxido de carbono, que hincha la masa. Cuando amasas el pan, comprimes el gas. Después, al cocerlo, el gas se expande (porque se calienta) hinchando el pan y dejando "agujeros" (burbujas de gas) en la miga.

Fermentación y respiración

La levadura es un microorganismo que crece por medio de la conversión de los azúcares de los alimentos en dióxido de carbono y etanol o agua. Si no hay oxígeno (1), se produce la fermentación y la levadura desprende dióxido de carbono y etanol. Con esta reacción se fabrican bebidas alcohólicas y pan. Si hay oxígeno (2), la levadura respira en lugar de fermentar, desprendiendo dióxido de carbono y agua. Para la misma cantidad de azúcar, la respiración libera más energía que la fermentación.

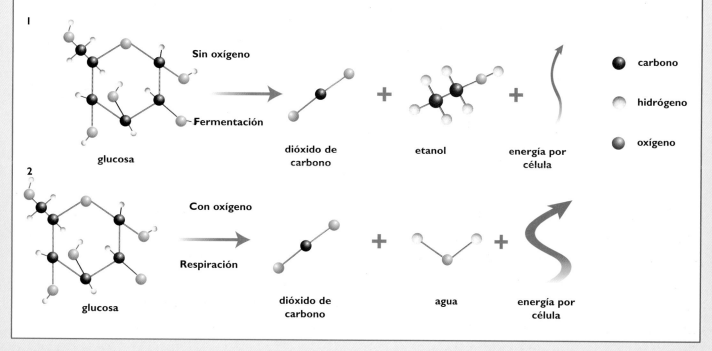

ACTIVIDAD 7
QUÍMICA DE LOS ALIMENTOS

También los alimentos pueden analizarse para saber las sustancias químicas que contienen. Las básicas son siete: grasas, hidratos de carbono, proteínas, fibra, vitaminas, minerales y agua.

Necesitamos extraer la cantidad adecuada de nutrientes de lo que comemos para fortalecer nuestro cuerpo y mantenerlo sano. Conocer los nutrientes de los alimentos nos ayuda a conservar la salud.

GRASAS

Las grasas, o lípidos, son grandes moléculas de átomos de carbono, hidrógeno y oxígeno. Se encuentran en el aceite, la mantequilla, la leche, el queso, los frutos secos y la carne. Cuando las ingerimos, se dividen en moléculas más pequeñas para que el torrente sanguíneo las transporte y las células las absorban, "quemándolas" como combustible o reservándolas. Como se pueden almacenar, las grasas proporcionan energía a largo plazo. Además, como ciertas vitaminas sólo se disuelven en las grasas, el único modo de ingerir esas vitaminas es tomando las grasas que las contienen. Tu cuerpo fabrica ciertas grasas pero otras, como la necesaria para las membranas celulares, hay que obtenerlas de los alimentos.

HIDRATOS DE CARBONO

Como las grasas, los hidratos se componen de carbono, hidrógeno y oxígeno, y proporcionan energía. Hay dos tipos de hidratos: los simples, o azúcares, y los complejos, o féculas.

La glucosa es el tipo de azúcar más simple y el combustible básico del cuerpo humano. Las células toman glucosa de la sangre y la "queman", liberando la energía que las mantiene. La fructosa es el azúcar principal de las frutas. Nuestro hígado la transforma en glucosa. La sacarosa es el azúcar blanco de mesa, y consiste en una molécula de glucosa y otra de fructosa enlazadas.

Las féculas son largas cadenas de moléculas de glucosa. Las plantas las utilizan para almacenar energía. El trigo, el maíz, la avena, el arroz, las patatas y los plátanos son ricos en fécula. Tu sistema digestivo

Para estar sanos debemos comer de todo, porque cada alimento contiene nutrientes distintos.

la descompone en pequeñas moléculas de glucosa que entran en el torrente sanguíneo. Se tarda menos en digerir los hidratos simples que los complejos. La sacarosa de un caramelo, por ejemplo, se convierte en glucosa y pasa al torrente sanguíneo a un ritmo de 30 calorías por minuto; con la fécula, la glucosa pasa a sólo 2 cal/min.

PROTEÍNAS

Las proteínas son largas cadenas de moléculas que contienen carbono, hidrógeno, oxígeno, nitrógeno y azufre, y cada molécula es una cadena de aminoácidos. Éstos proporcionan a las células los materiales necesarios para su subsistencia y crecimiento. El sistema digestivo descompone las proteínas en aminoácidos, que pasan al torrente sanguíneo. Algunos alimentos ricos en proteínas son: pescado, leche, carne, frutos secos y legumbres.

La fibra se encuentra en plantas comestibles como la avena, el maíz o el trigo de este pan.

FIBRA

Se encuentra sobre todo en plantas comestibles, como el trigo. El cuerpo no la absorbe, sino que la elimina, pero es vital para la salud del sistema digestivo.

VITAMINAS

Las vitaminas son pequeñas moléculas fundamentales para la salud. Aunque el cuerpo fabrica la D y la K, las demás debe obtenerlas de los alimentos. Necesitamos 13: A, B_1, B_2, B_6, B_{12}, C, D, E, K, niacina, ácido fólico, ácido pantoténico y biotina. Su falta origina trastornos y enfermedades. La carencia de vitamina C provoca escorbuto; la de vitamina K, hemorragias internas; la de vitamina A, ceguera nocturna.

Las vitaminas se encuentran en todos los alimentos frescos. El procesado de alimentos, como el enlatado, puede destruirlas; por eso hay tantos alimentos preparados con vitaminas añadidas.

Algunos alimentos contienen vitamina D, pero el cuerpo también puede fabricarla. Con la luz solar, la piel convierte un tipo de grasa en vitamina D. Sin embargo, un poco del sol basta, y recuerda: siempre que lo tomes que sea con cremas protectoras, en las horas de menos calor y durante poco tiempo.

MINERALES

Los minerales también son necesarios para el buen funcionamiento de nuestro cuerpo. Algunos de los principales son: el calcio, para dientes y huesos; el yodo, del que depende una importante hormona; y el hierro, con el que los glóbulos rojos transportan el oxígeno.

AGUA

El agua es el componente más abundante de nuestro cuerpo: un 73 por ciento. Es básica para la vida porque, aunque podemos pasar semanas sin comer, sin ella no podríamos sobrevivir más que unos días. Perdemos alrededor de 1,5 litros diarios en forma de orina, heces, aliento y sudor, y debemos reponerla con los alimentos (sólidos y líquidos).

En esta actividad analizarás alimentos usando un reactivo: sustancia que detecta la presencia de otras sustancias químicas.

Detección de féculas y grasas

ACTIVIDAD

Objetivos

1. **Detectar la fécula y la grasa de varios alimentos.**
2. **Averiguar si te alimentas bien.**

Vas a necesitar:

- *etanol (de venta en ferreterías como alcohol desnaturalizado o de quemar)*
- *dos jarras graduadas*
- *agua*
- *rallador*
- *cuchara*
- *colador*
- *papel de cocina*
- *yodo*
- *galleta u otros alimentos*
- *patata*

1 Ralla la patata.

2 Echa una cucharada de patata rallada a una jarra, añade 50 ml de agua y remueve.

3 Cuela el líquido a la otra jarra.

4 Añade unas gotas de yodo. Si el líquido se vuelve azul negruzco, es que hay fécula.

Seguridad

Debes hacer este experimento con un adulto. El etanol puro es tóxico, e ingerir una mínima cantidad es peligroso. No te lo acerques a la boca ni a los ojos. Las bebidas alcohólicas llevan algo de etanol, por lo que también son tóxicas si se ingieren en exceso.

5 Echa una galleta troceada a una jarra vacía.

6 Añade 50 ml de etanol y remueve.

7 Pon papel de cocina sobre el colador y cuela el líquido a otra jarra. El líquido debería ser incoloro.

8 Añade 50 ml de agua y remueve. Si el líquido se enturbia, es que hay grasa.

SEGUIMIENTO Detección de féculas y grasas

Puedes hacer estos análisis con cualquier alimento. Selecciona algunos, piensa en su sabor y supón si tienen fécula o grasa. Anota tus suposiciones y haz los análisis con tus reactivos. ¿Has acertado? ¿Qué alimento contiene ambas cosas?

Para hacer una tabla con tus análisis, encabeza las columnas con: alimento, suposición, razones de la suposición, reactivo usado, resultado.

Hay muchos tipos de reactivos para detectar los productos químicos de los alimentos. Tu colegio tendrá algunos, si no, tu profesor puede encargarlos en la tienda de material escolar. Las siguientes pruebas se hacen del mismo modo que la prueba del yodo para la fécula. Primero, trocea el alimento, luego añade agua y remueve; por último, cuela el líquido y analízalo con el reactivo.

El azúcar se detecta con la solución Benedict. Si se forma un precipitado (masa sólida), es que hay azúcar. Para detectar la vitamina C, se usa la solución DCPIP, que se vuelve incolora en presencia de esa vitamina.

Para detectar proteínas, se añade una disolución de hidróxido de sodio y unas gotas de sulfato de cobre al alimento. La mezcla adquiere un color púrpura claro si hay proteínas.

ANÁLISIS Química de los alimentos

En la actividad te has basado en reacciones de las féculas y las grasas para saber si distintos alimentos las contenían.

En la detección de fécula, el yodo reacciona con ella y crea un nuevo compuesto de color azul negruzco. Si el alimento no tiene fécula, el yodo conserva su color naranja.

Las grasas no se disuelven en agua, pero sí lo hacen en alcohol. Al añadir etanol al alimento, la grasa se disuelve y el líquido resultante es incoloro. Filtras ese líquido para quitar cualquier resto de alimento, dejando sólo el etanol y la grasa disuelta. El etanol se disuelve en agua, pero la grasa no. Por eso cuando echas agua a la mezcla de etanol y grasa, la mezcla se enturbia. Si el alimento no hubiera tenido grasa, la mezcla seguiría siendo incolora.

Otra prueba para detectar grasas consiste en frotar el alimento con papel de cocina. Si el papel se humedece y después se seca, el alimento contiene agua; si la mancha es aceitosa y no se seca, es que contiene grasa.

Los alimentos cocinados sufren cambios químicos. Al cocer un huevo, por ejemplo, las moléculas de sus proteínas se separan y después se traban, formando una malla consistente. Por eso las claras y las yemas se endurecen.

Las grasas, como la mantequilla, se mezclan con facilidad con las moléculas de azúcar para atrapar aire, razón por la cual los cocineros baten ambos ingredientes para los pasteles. Cuando el pastel se hornea, el aire atrapado se expande (los gases se expanden con el calor) y, de esta forma, el pastel crece y se esponja.

Debes recordar que para alimentarse bien hay que comer de todo y de forma equilibrada. Un poco de azúcar no hace daño, pero en exceso provoca caries y otros problemas. Cuanto más sepas sobre alimentos, más fácil te será elegir los que te convienen para estar sano.

Pirámide nutricional

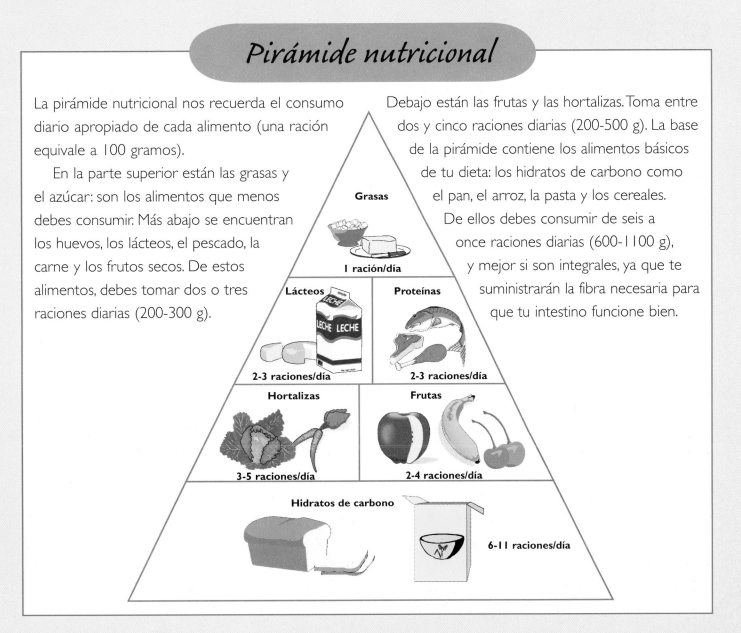

La pirámide nutricional nos recuerda el consumo diario apropiado de cada alimento (una ración equivale a 100 gramos).

En la parte superior están las grasas y el azúcar: son los alimentos que menos debes consumir. Más abajo se encuentran los huevos, los lácteos, el pescado, la carne y los frutos secos. De estos alimentos, debes tomar dos o tres raciones diarias (200-300 g).

Debajo están las frutas y las hortalizas. Toma entre dos y cinco raciones diarias (200-500 g). La base de la pirámide contiene los alimentos básicos de tu dieta: los hidratos de carbono como el pan, el arroz, la pasta y los cereales. De ellos debes consumir de seis a once raciones diarias (600-1100 g), y mejor si son integrales, ya que te suministrarán la fibra necesaria para que tu intestino funcione bien.

Grasas
1 ración/día

Lácteos
2-3 raciones/día

Proteínas
2-3 raciones/día

Hortalizas
3-5 raciones/día

Frutas
2-4 raciones/día

Hidratos de carbono
6-11 raciones/día

ACTIVIDAD 8
LA LECHE ME ENFERMA

Para digerir y aprovechar los alimentos, tu cuerpo necesita unas proteínas llamadas enzimas, y las hay de muchas clases. Si la leche te sienta mal, es que careces de la enzima específica para digerirla.

Siempre que dos sustancias se unen, ocurre una reacción química. Por ejemplo, si se unen átomos de potasio y moléculas de agua, el potasio reacciona con violencia, produciendo hidróxido de potasio y gas hidrógeno, que arde. Describimos esto diciendo que el potasio es altamente reactivo en presencia de oxígeno. Sin embargo, para iniciar otras reacciones o para acelerarlas, se necesita una sustancia llamada catalizador, que, a diferencia de los reactantes, no cambia durante la reacción.

Al igual que la humana, la leche de vaca contiene lactosa, y las personas con intolerancia a la lactosa no pueden consumirla. Una solución es beber leche sin lactosa, como la de soja.

Los catalizadores aceleran las reacciones reduciendo la energía necesaria para que tengan lugar. Muchos actúan como puente entre los reactantes, acercando las moléculas de ambos. Los catalizadores de los seres vivos son las enzimas. Sin ellas, nuestros cuerpos no tendrían energía suficiente para provocar reacciones químicas.

Puedes figurarte cómo funcionan las enzimas por la digestión de la leche. La de los humanos (y la de las vacas) contiene un azúcar complejo, la lactosa, compuesto por dos azúcares simples: glucosa y galactosa. En la Actividad 7 has visto que nuestros cuerpos extraen energía de los azúcares simples. Los complejos deben ser descompuestos para ser digeridos, y por eso la enzima llamada lactasa se encarga de descomponer la lactosa.

Casi todos los bebés fabrican lactasa en grandes cantidades, ya que su único alimento es la leche, pero, cuando empiezan a tomar alimentos sólidos, la fabricación disminuye poco a poco. Algunos adultos carecen de ella, y por eso no digieren la leche de vaca. Este trastorno se llama intolerancia a la lactosa y provoca hinchazón y dolor abdominal, diarrea y otros síntomas. Sin embargo, sí pueden beber leches vegetales o tomar gotas de lactasa.

Catalizadores de coches

La batería de combustible contiene un catalizador metálico (normalmente de platino) que provoca una reacción entre hidrógeno y oxígeno. Esta reacción produce electricidad para alimentar el vehículo (foto inferior) y sólo libera agua, por lo que el vehículo no emite gases contaminantes. Es de esperar que, algún día, su uso se generalice.

Catalizadores y enzimas

Los catalizadores son sustancias que aceleran las reacciones químicas, disminuyendo la energía necesaria para que se produzcan, y las enzimas son los catalizadores de los seres vivos. Sin ellas, no seríamos capaces de proporcionar a las células la energía que necesitan para esas reacciones. Hay cientos de miles de enzimas diferentes con misiones específicas.

La que ves abajo es la maltasa. Tiene esa forma para recoger moléculas de maltosa, un azúcar complejo parecido a la lactosa, formado por moléculas enlazadas de glucosa. Nuestro cuerpo no asimila la maltosa porque es demasiado grande, así que la enzima maltasa la convierte en glucosa. Una sola enzima maltasa puede romper 1000 enlaces de maltosa por segundo.

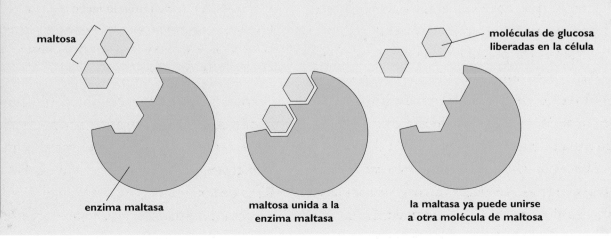

maltosa

moléculas de glucosa liberadas en la célula

enzima maltasa

maltosa unida a la enzima maltasa

la maltasa ya puede unirse a otra molécula de maltosa

Enzimas en acción

Objetivos

1. **Examinar cómo descomponen moléculas las enzimas.**
2. **Descubrir cómo se descomponen moléculas.**
3. **Estudiar las causas de la intolerancia a la lactosa.**

Vas a necesitar:

- agua
- vaso de precipitados o graduado
- leche entera
- leche desnatada
- leche sin lactosa, de soja o de arroz
- lactasa en gotas (en farmacias)
- vasos de plástico
- tiras reactivas a la glucosa de la orina (en farmacias)
- glucosa en polvo o tabletas (en farmacias) y una cuchara

1 Vierte 100 ml de agua en el vaso de cristal. Añade una cucharada de glucosa y remueve bien para hacer una disolución.

2 Mete una tira reactiva en la disolución. Compara el color que adquiere la tira con los colores que indica el envase, para saber la cantidad de glucosa de la disolución. Anota la cantidad.

3 Echa 200 ml de leche desnatada a un vaso de plástico y repite el análisis con otra tira. Anota el resultado.

4 Vierte 200 ml de leche de soja en un vaso y 200 ml de leche entera en otro. Mete tiras en ambos y anota los resultados.

5 Vierte 200 ml de leche entera en otro vaso y añade unas gotas de lactasa. Analiza la mezcla como en los casos anteriores.

6 Compara los colores de las tiras para determinar la glucosa de los vasos. ¿Cuál tiene más y cuál tiene menos?

Catalizadores no enzimáticos

El metanol es un líquido incoloro que puede estar embotellado cientos de años sin cambiar, pero si se pone en contacto con un catalizador caliente llamado zeolita, sufre una reacción inmediata y se convierte en gasolina. Esta reacción se aplica en Nueva Zelanda como parte de un proceso industrial para convertir gas natural en gasolina.

Resolución de problemas

¿Y si las tiras reactivas no cambian de color?

En tu farmacia encontrarás unas tiras para analizar la glucosa de la sangre y otras para analizar la glucosa de la orina. Es posible que hayas utilizado las de sangre, y en este experimento funcionan mejor las de orina.

SEGUIMIENTO Enzimas en acción

Analiza la cantidad de lactosa de otros lácteos, como el yogur, la mantequilla y el queso, antes y después de añadirles gotas de lactasa. Funde la mantequilla y el queso en el microondas o en el horno con ayuda de un adulto.

También puedes cambiar la temperatura de la leche y otros líquidos, calentándolos un poco. ¿Afecta eso a la glucosa que contienen?

Busca glucosa en otros productos que no sean lácteos, como el zumo de naranja u otros zumos. ¿Cuáles contienen más glucosa?

En todo el mundo hay adultos con intolerancia a la lactosa, pero parece que este trastorno afecta menos a las personas de raza blanca.

Haz una encuesta en clase para saber de dónde proceden las familias de tus compañeros y si sus padres tienen intolerancia a la lactosa.

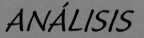

Puedes analizar la cantidad de glucosa de otros productos dulces que no sean lácteos, por ejemplo, de los zumos de frutas.

ANÁLISIS
La leche me enferma

La enzima lactasa descompone el azúcar de la leche (lactosa) en glucosa y galactosa, haciéndola digerible para la gente con intolerancia a la lactosa.

La leche normal contiene una alta concentración de lactosa, no de glucosa, y por eso no colorea la tira reactiva. La leche sin lactosa ha sido tratada con lactasa, por lo que la tira cambia de color, indicando la presencia de glucosa.

Después de añadir gotas de lactasa a la leche normal, la lactosa se divide, y la tira reactiva cambia de color indicando la presencia de glucosa.

Las bacterias del yogur también dividen la lactosa, por lo que la tira debe detectar la presencia de un poco de glucosa antes de que añadas las gotas, aunque detectará más después de que las eches.

Las bacterias del queso también dividen la lactosa. Algunas personas con intolerancia a la lactosa pueden tomar queso y yogur, porque las bacterias ya han hecho la labor de la lactasa.

Las enzimas actúan con mayor rapidez en un medio cálido, por eso al calentar la leche habrás detectado más glucosa después de añadir las gotas de lactasa.

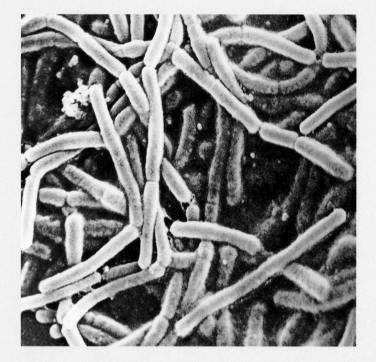

🔲 *El yogur y el queso se fabrican añadiendo a la leche bacterias lácticas (arriba) que, como las enzimas, descomponen la lactosa en azúcares simples.*

Si has hecho la encuesta que te sugerimos en el seguimiento, habrás comprobado que quien tolera la lactosa (quien puede digerir la leche) tiene antepasados que provienen de culturas en las que se consumían muchos productos lácteos, lo que ocurría sobre todo con la gente cuyo sustento dependía del ganado lechero.

En algunas partes del mundo la cría de este ganado es bastante reciente, y por eso los niños sólo tomaban leche cuando eran bebés, durante la lactancia. Al crecer, sus cuerpos no malgastaban energía en fabricar lactasa, una enzima que no necesitaban. Muchos adultos cuyos antepasados proceden de esas zonas no toleran la lactosa; en particular, los nativos americanos, los esquimales, los isleños del Pacífico y los habitantes de algunos lugares del Sureste Asiático, como Corea y Japón.

Louis Pasteur

No siempre ha sido seguro beber leche. Hasta recién ordeñada podía provocar muchas enfermedades, incluida la tuberculosis. Los microbios que causan estas enfermedades encontraban un caldo de cultivo perfecto en la leche cruda, por su contenido en azúcares. Hoy, la leche que compramos ha sido pasteurizada para destruir los gérmenes patógenos. La pasteurización fue ideada por el químico y microbiólogo francés Louis Pasteur (1822-1895), que desarrolló también la teoría del origen microbiano de las enfermedades.

En el proceso de pasteurización actual, la leche se calienta a 70 °C durante 15 segundos y después se enfría rápidamente. Esto conserva el sabor y la mayoría de los nutrientes, destruyendo los gérmenes.

ACTIVIDAD 9

PIGMENTOS

La vida animal y vegetal de la Tierra posee una asombrosa gama de colores;
piensa en el colorido de las plantas, de los loros o de los camaleones.
Esos colores se deben a unas sustancias llamadas pigmentos.

Abre el frigorífico y echa un vistazo a las hortalizas. Puedes tener zanahorias, remolachas, tomates, lechuga, puerros, etc. Los colores que ves se deben a grandes moléculas llamadas pigmentos. Los de las zanahorias y los tomates provienen de los pigmentos carotenoides. Las espinacas y otras verduras deben su color a la clorofila. Otros colores provienen de las combinaciones de distintos pigmentos.

Además de la clorofila, hay tres tipos de pigmentos vegetales. Los carotenoides (como el betacaroteno de las zanahorias) son responsables de rojos, naranjas y amarillos; las antocianinas, de púrpuras, azules, negros y rojos; las antoxantinas, de naranjas, amarillos y blancos. Como ya habrás advertido, muchas plantas contienen más de un pigmento. Estos se mezclan para crear un abanico de colores, o bien hay uno que enmascara los otros.

Las moléculas de los pigmentos reflejan algunas longitudes de onda (o colores) de la luz y absorben otras. Por ejemplo, cuando la luz blanca (mezcla de todos los colores de la luz) incide sobre la clorofila, sólo se refleja la luz de

Las plantas y las algas, como estas algas marinas, que contienen el pigmento verde llamado clorofila, elaboran su propio alimento con la energía de la luz solar.

la parte verde del espectro, y por eso vemos el color verde.

Los pigmentos de las plantas realizan importantes funciones, como ayudar a fabricar sustancias vitales para las propias plantas y para los animales que se alimentan de ellas. Por ejemplo, el betacaroteno puede transformarse en vitamina A, que animales y humanos necesitan para la vista.

Ya sabrás que, en presencia de la luz solar, la clorofila permite a las plantas y las algas producir alimento. Casi todas ellas contienen clorofila aunque no sean verdes (otros pigmentos enmascaran el verde). Por ejemplo, las algas marinas pardas contienen clorofila y caroteno; su pigmento rojizo les permite absorber la energía de la luz verdosa, única a cierta profundidad, y pasarla a la clorofila.

La variedad de tonos de la piel humana depende de su cantidad de melanina, el pigmento que le da color. Al broncearte, tu piel fabrica más melanina.

El color de los animales

Los pigmentos de la piel, el pelaje o las plumas de los animales les sirven sobre todo para esconderse de los depredadores, atraer una pareja o cazar una presa. Algunos insectos se camuflan imitando el colorido de hojas o ramas, otros reproducen el de criaturas venenosas. Muchos pájaros machos tienen plumas de colores vivos para atraer a las hembras. Los camaleones cambian de color variando el tamaño y la forma de las células que contienen los pigmentos. El de la imagen (derecha) se ha camuflado para cazar un insecto. La sepia y el pulpo también cambian de color para mimetizarse con el entorno o comunicarse entre sí.

El pigmento de la piel humana se llama melanina. Cuanta más melanina contenga la piel, más oscura será.

El color de las hortalizas

Objetivos

1. **Descubrir los pigmentos de varias hortalizas.**
2. **Practicar métodos de extracción de pigmentos.**

Vas a necesitar:

- *zanahorias y otras hortalizas de colores vivos*
- *mantequilla derretida*
- *papel de cocina*
- *rallador*
- *cilindro graduado o cucharilla y cuchara*
- *tabla de cortar*
- *jarras o vasos*
- *aceite de parafina*
- *colador o embudo*

1 Ralla un poco de zanahoria (unas 4 cucharadas).

2 Echa la mitad de la ralladura a una jarra y mézclala con 2 cucharaditas de aceite de parafina.

3 Pon el colador o el embudo sobre un vaso y fórralo con papel de cocina. Vierte la mitad del aceite de parafina y zanahoria. La disolución que contiene el pigmento tardará un poco en atravesar el papel.

4 Mezcla la otra mitad de la zanahoria rallada con una cucharadita de mantequilla derretida y dos cucharaditas de aceite de parafina.

5 Pon el colador con papel sobre otro vaso y vierte la mezcla. Al cabo de unos minutos pasará la disolución con el pigmento.

6 Mira ambos vasos al trasluz y compara los colores de las dos disoluciones. Repite la actividad con otras hortalizas.

Tinta de calamar

Como el calamar y el pulpo, la sepia escapa de sus depredadores lanzando una nube de tinta negra. El pigmento sepia, que se usaba en el siglo XIX para dar un tono marrón a las fotografías, se extraía de sus sacos de tinta. La fotografía actual utiliza pigmentos sintéticos, pero la tinta de calamar sigue teniendo un uso gastronómico.

SEGUIMIENTO   El color de las hortalizas

Con este método puedes analizar muchas hortalizas de colores vivos, como tomates o espinacas. También puedes hacer el siguiente experimento para separar los pigmentos de una lechuga.

Necesitarás: una lechuga roja, acetona (quitaesmalte de uñas), jarra graduada, cuenco de cristal, papel de cocina, pinza de ropa, bastoncillos de algodón, vaso y colador.

Advertencia: no respires la acetona, ni te la acerques a la boca o la nariz. No utilices recipientes o coladores de plástico: la acetona puede disolverlos.

1 Corta los bordes rojizos de dos o tres hojas de lechuga y aplástalos con los dedos hasta que se ablanden. Ponlos en la jarra con igual cantidad de acetona y cuela la mezcla en el cuenco de cristal. Corta tiras de papel de cocina de 25 por 5 cm, y traza una línea con lápiz a unos 2,5 cm del fondo de cada tira. Sujeta una tira con una pinza al vaso.

2 Corta el extremo de un bastoncillo, sumerge ese extremo en el líquido y toca un punto de la línea que has trazado. Espera que se seque la mancha y toca la línea en otro punto.

3 Mezcla 50 ml de acetona con 50 ml de agua y echa 3 cucharadas de esta disolución al vaso. Deja reposar 10 minutos, hasta que el papel se humedezca. Saca el papel y deja que se seque. ¿Qué ves?

ANÁLISIS

Los pigmentos

Muchos pigmentos, como el betacaroteno (naranja) y la clorofila (verde), son liposolubles, es decir, se disuelven en las grasas. En la actividad has usado dos clases de grasas (aceite y mantequilla) para extraer los pigmentos, luego sólo has extraído los liposolubles. ¿Qué hortalizas con las que has experimentado contienen este tipo de pigmentos? Las vitaminas de estos pigmentos también son liposolubles, lo que significa que tu cuerpo no puede aprovecharlas a menos que se disuelvan antes en grasa (ésta es una de las razones por las que debes tomar grasas).

En el seguimiento has utilizado acetona en vez de grasa porque ciertos pigmentos no son liposolubles. En este caso habrás notado que las manchas del fondo del papel cambian de color. La acetona separa los pigmentos y los traslada al papel, permitiéndote verlos mejor. Los colores se separan porque las moléculas de los diferentes pigmentos tienen pesos distintos y son transportadas por la acetona a distintas velocidades. La lechuga roja contiene clorofila y pigmentos marrón rojizos, por lo que habrás visto una mancha verde y otra marrón rojiza.

El pigmento rojo de la lechuga la protege del exceso de sol. Si hay mucha luz, la clorofila absorbe energía demasiado rápidamente y la planta no puede utilizarla toda, resultando perjudicada. Por ello, el pigmento rojo de las hojas absorbe parte de esa energía solar.

Frutas y hortalizas

Los pigmentos vegetales tienen distintas funciones: unos ayudan a las plantas a capturar y usar la luz; otros ayudan a las frutas y a las flores a destacar de su entorno para atraer a los insectos o a las aves que las polinizan o dispersan sus semillas. Algunos pigmentos se asocian con distintas vitaminas, razón por la cual debemos tomar toda clase de frutas y hortalizas. Por ejemplo, las zanahorias contienen betacaroteno (del que se extrae la vitamina A).

La próxima vez que vayas al mercado, fíjate en la cantidad de frutas y hortalizas de distintos colores que hay.

ACTIVIDAD 10
ADN FRUTAL

¿Cómo se convierte una oruga en mariposa? ¿Por qué tiene rayas la cebra?
¿Por qué nos parecemos a nuestros padres? Por el ADN. El ADN contiene
las "instrucciones vitales" de todos los seres vivos.

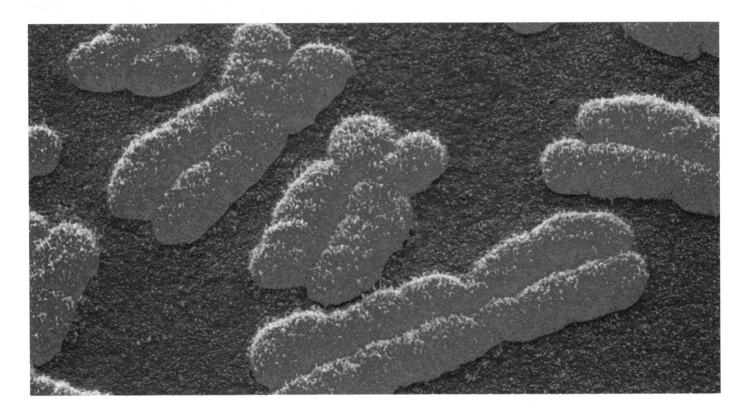

En cada célula de tu cuerpo hay ADN (ácido desoxirribonucleico): una larga molécula que contiene las instrucciones para fabricar las proteínas que las células necesitan.

La molécula de ADN consiste en dos cadenas enrolladas en una doble hélice, semejante a una escalera retorcida. Cada cadena está formada por una "columna vertebral" de azúcar desoxirribosa y fosfato, y soporta una larga secuencia de bases: cuatro sustancias llamadas adenina (A), citosina (C), guanina (G) y timina (T). Una típica molécula de ADN tiene varios millones de estas bases.

La base A se une siempre con la T, y la C lo hace con la G, formando los travesaños que

🔵 *Las cadenas de ADN se pliegan para formar cromosomas. Los de la imagen se han replicado a sí mismos, para separarse cuando la célula se duplique.*

mantienen unidas las cadenas. La distribución de las bases a lo largo de la molécula de ADN da instrucciones que deben descodificar otras moléculas. Por ejemplo, "AGGTCTGACGCT" indica a la célula que fabrique una pequeña parte de la proteína que ayuda a digerir los alimentos.

Todos los seres vivos tienen ADN. En los humanos, el ADN de cada célula está repartido en 23 pares de cromosomas. Los grupos de bases que llevan indicaciones precisas se llaman genes.

Los genes se presentan por pares (uno en cada cadena de ADN). Heredamos un gen de cada par de cada uno de nuestros padres. Algunos genes llevan información "perjudicial" o pueden resultar dañados, y se relacionan con ciertas enfermedades. Pero nuestra salud no sólo depende de los genes, sino del entorno en que vivamos, de nuestra alimentación y de nuestro estilo de vida.

La estructura del ADN fue descubierta en 1953 por Francis Crick (nacido en 1916) y James Watson (nacido en 1928). Para estudiar la estructura del ADN, tuvieron que extraerlo antes de una célula. Reproduciendo sus métodos, podrás extraer el ADN de una fruta.

🔵 *Francis Crick y James Watson.*

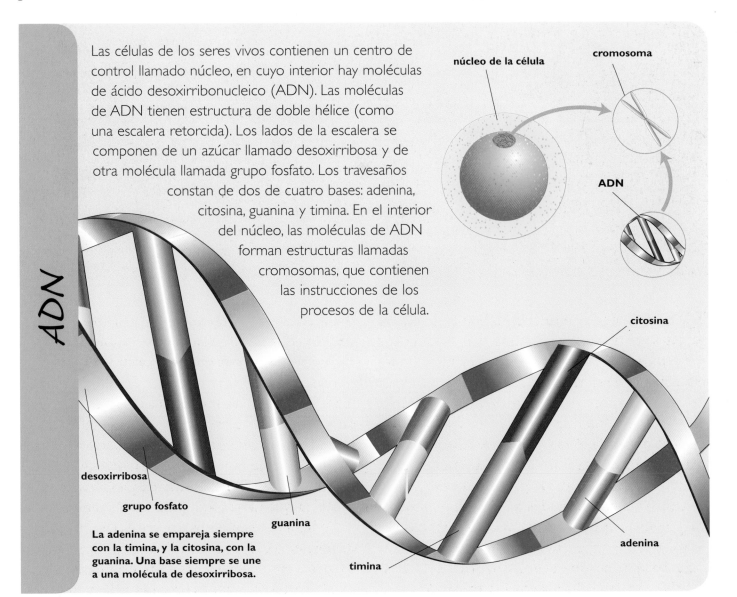

Las células de los seres vivos contienen un centro de control llamado núcleo, en cuyo interior hay moléculas de ácido desoxirribonucleico (ADN). Las moléculas de ADN tienen estructura de doble hélice (como una escalera retorcida). Los lados de la escalera se componen de un azúcar llamado desoxirribosa y de otra molécula llamada grupo fosfato. Los travesaños constan de dos de cuatro bases: adenina, citosina, guanina y timina. En el interior del núcleo, las moléculas de ADN forman estructuras llamadas cromosomas, que contienen las instrucciones de los procesos de la célula.

núcleo de la célula

cromosoma

ADN

citosina

ADN

desoxirribosa

grupo fosfato

guanina

timina

adenina

La adenina se empareja siempre con la timina, y la citosina, con la guanina. Una base siempre se une a una molécula de desoxirribosa.

Extracción de ADN

Objetivos

1. **Separar ADN de las células de la fruta.**
2. **Extraer el ADN de un preparado.**

Vas a necesitar:

- *cuenco con hielo*
- *botella con alcohol desnaturalizado*
- *kiwi*
- *cuchillo y tabla de cortar*
- *2 jarras graduadas*
- *balanza de cocina*
- *sal de mesa*
- *cilindro graduado*
- *lavavajillas (no concentrado)*
- *agua*
- *cazo con agua caliente*
- *colador*
- *cuchara*
- *copa de champán o vaso alto y estrecho*
- *trozo de alambre*

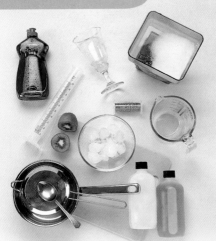

1 Mete la botella de alcohol desnaturalizado en el cuenco con hielo. El alcohol debe estar muy frío.

2 Pela el kiwi, trocéalo sobre la tabla de cortar y échalo en la jarra graduada.

3 Remueve durante 15 minutos: 3 g de sal, 10 ml de lavavajillas y 100 ml de agua.

4 Añade la disolución anterior a la jarra con el kiwi y deja reposar 15 minutos.

5 Pon la jarra en el cazo con agua caliente y déjalo 15 minutos.

6 Cuela el líquido a la copa. Debes llenar más o menos una quinta parte.

Resolución de problemas

No obtengo ADN. ¿Qué he hecho mal?

Quizá hayas seguido los pasos demasiado rápido. Remueve la mezcla de detergente al menos 15 minutos. Si dejas que la mezcla final repose de 30 a 60 minutos, el ADN se precipitará (se solidificará) entre las capas.

Seguridad

Es muy peligroso beber alcohol desnaturalizado. Pídele a un adulto que te ayude a hacer esta actividad.

7 Vierte el alcohol en la copa como se indica en la imagen, de manera que caiga muy despacio sobre la capa verde. Deja de echarlo cuando llenes unos dos quintos de copa. No muevas la copa y observa lo que pasa.

8 Verás que se forma una capa blanca entre el líquido verde y el violeta. Eso es el ADN del kiwi. Haz un circulito al final del alambre y extrae el ADN con él.

SEGUIMIENTO   Extracción de ADN

Si dispones de un microscopio potente, examina el ADN y verás los pares de bases de su estructura. Estos microscopios son grandes y caros, y se utilizan sobre todo en los laboratorios de investigación.

También puedes extraer ADN de distintos alimentos (derecha), como fresas, guisantes y germen de trigo. Si el alimento es difícil de trocear, échalo en una licuadora con igual cantidad de agua y una pizca de sal. Después, viértelo en un cuenco, añade detergente y deja que repose 15 minutos. Luego, continúa el experimento como antes.

Compara las cantidades de ADN que has obtenido de cada alimento. ¿Obtienes más o menos la misma cantidad? Quizá creas que las células frutales contienen menos ADN que las humanas, pero la cantidad de ADN de ambas es muy parecida.

ANÁLISIS

ADN frutal

Todas las células de los seres vivos contienen ADN, pero lo difícil es extraerlo sin dañarlo, porque hay que sacarlo de la célula y separarlo de las proteínas que lo rodean.

Lo primero se resuelve troceando el kiwi y dejando que se empape de detergente y sal, ya que éstos rasgan las membranas celulares (las proteínas que rodean la célula). Cuanto más trocees el kiwi, más células se romperán, pero si lo deshaces demasiado, por ejemplo licuándolo, también puedes aplastar su ADN. Sin embargo, la licuadora funciona bien con otros alimentos.

El segundo problema, separar el ADN de las proteínas adheridas a él, se resuelve gracias al propio kiwi y al alcohol. Los kiwis contienen muchas enzimas llamadas proteasas, que rompen las proteínas adheridas al ADN.

La capa verde de tu vaso está llena de ADN, proteínas rotas y otros muchos elementos de la célula. Cuando viertes el alcohol, el ADN disuelto se solidifica y asciende hasta quedar sobre la capa verde. En ese momento puedes extraerlo.

Si estiráramos el ADN de una célula cualquiera del cuerpo humano obtendría-

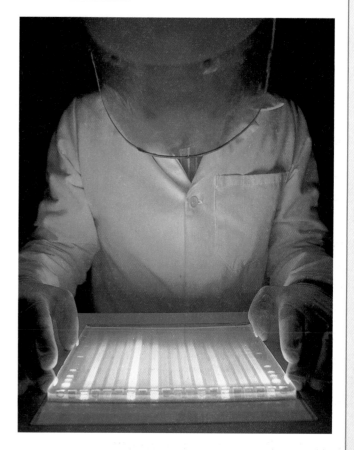

Aunque Francis Crick, James Watson y Maurice Wilkins (nacido en 1916) compartieron el Premio Nobel de Fisiología o Medicina en 1962, fue Rosalind Franklin (1920-1958) quién tomó y analizó las fotos por rayos X de los cristales de ADN que mostraron a Crick y a Watson su estructura. Rosalind Franklin murió antes de que su trabajo fuera reconocido.

mos unos dos metros de ADN y, como en tu cuerpo hay billones de células, el ADN total mediría miles de millones de kilómetros. Pero cada cadena de ADN sólo tiene la anchura de 10 ó 12 átomos y, por esa razón, puede plegarse para caber en el interior de las células.

Disolución de iones

Cada cadena de ADN contiene un código, como el de un ordenador, que indica a las células lo que deben hacer. El código es el orden de las bases. Una secuencia de tres bases, como AGT, da el código de un aminoácido (componente básico de las proteínas), así que varias de estas secuencias dan las instrucciones completas para fabricar la proteína. En el ADN humano hay tres mil millones de pares de bases.

Una de las técnicas para descifrar el código del ADN se llama electroforesis en gel (derecha). En esta técnica, se introducen fragmentos de ADN en un gel que se somete a una corriente eléctrica. Los fragmentos de ADN, ligeramente cargados, se mueven entonces por gel, y los menores se alejan más de su posición original. Después se tiñe el gel para hacer visible el patrón de bandas, huella de ADN característica de cada organismo.

La electroforesis en gel proporciona información genética para usos diversos, como diagnósticos médicos o investigaciones policiales.

GLOSARIO

aceite: tipo de lípido que se mantiene líquido a temperatura ambiente.

ácido: sustancia que reacciona con agua para formar iones hidrógeno. Los ácidos suelen ser agrios y corrosivos.

ADN (ácido desoxirribonucleico): largas moléculas que contienen las instrucciones para que las células fabriquen proteínas.

aleación: sustancia hecha con dos o más metales, o con un metal y un no metal.

aminoácido: pequeñas moléculas que componen las proteínas y dan a la célula el material que necesita para crecer y mantener su estructura.

anión: partícula con carga (ion) negativa formada cuando los átomos ganan electrones.

átomo: partícula menor de un elemento que tiene las mismas propiedades químicas del elemento.

azúcar: hidrato de carbono como la glucosa, la lactosa o la fructosa.

bacteria: organismo unicelular microscópico sin núcleo diferenciado.

base (ADN): uno de los cuatros compuestos de nitrógeno del ADN; las cuatro bases son la adenina (A), la citosina (C), la guanina (G) y la timina (T). El orden en que están dispuestas indica a la célula la proteína que debe fabricar.

base (en química): sustancia que reacciona con agua para formar iones hidróxido (un átomo de oxígeno y otro de hidrógeno).

catalizador: elemento capaz de cambiar el ritmo de una reacción permaneciendo inalterado al final de ésta.

catión: partícula con carga (ion) positiva formada cuando un átomo pierde electrones.

clorofila: sustancia química de las plantas que absorbe la luz.

compuesto: sustancia que contiene átomos unidos de más de un elemento.

desoxirribosa: molécula de azúcar presente en el ADN.

disolución: líquido que contiene dos o más sustancias.

doble hélice: forma de la molécula del ADN: como una escalera retorcida.

electrón: partícula pequeñísima que orbita alrededor del núcleo de un átomo; los electrones tienen carga negativa.

elemento: sustancia que no se puede dividir por medios químicos en otras simples; el elemento sólo contiene una clase de átomo.

enlace covalente: enlace en que los átomos comparten un electrón.

enlace doble: dos átomos enlazados que comparten dos pares de electrones.

enlace iónico: enlace en que los átomos transfieren un electrón.

enlace (químico): fuerza de atracción entre electrones y protones que mantiene unidos los átomos.

enlace simple: enlace en que los átomos se unen compartiendo un par de electrones.

enzima: catalizador natural; las enzimas aceleran las reacciones químicas de los seres vivos.

fécula: hidrato de carbono que se encuentra en alimentos como el arroz, el trigo y las patatas.

fructosa: azúcar de las frutas.

glucosa: tipo de azúcar que contiene seis átomos de carbono. Es el azúcar que transporta la sangre.

grasa: tipo de lípido que se mantiene sólido a temperatura ambiente.

hidrato de carbono: sustancia química (compuesta de oxígeno, hidrógeno y carbono) que en el cuerpo humano se transforma en azúcares.

indicador: sustancia que cambia de color en función de la fuerza del ácido o la base con que entra en contacto.

ion: átomo que ha perdido o ganado electrones.

lactasa: enzima que descompone las grandes moléculas de lactosa en glucosa y galactosa, azúcares simples que el cuerpo puede utilizar.

lactosa: tipo de azúcar que contiene la leche.

levaduras: organismos diminutos y unicelulares que transforman los azúcares en dióxido de carbono.

lípidos: sustancias químicas de tacto aceitoso y solubles en alcohol pero no en agua.

membrana celular: fina capa de proteínas que rodea la célula y le da forma; deja pasar algunas sustancias, pero no todas.

mineral (nutrición): sustancias que el cuerpo necesita y que obtiene de los alimentos. Hierro, potasio, sodio, calcio y magnesio son minerales importantes para las personas.

molécula: grupo de átomos que comparten electrones, que están enlazados.

núcleo: parte central de un átomo; el núcleo contiene protones y neutrones.

organismo: cualquier ser vivo.

oxígeno: elemento incoloro e inodoro que constituye en forma de gas la quinta parte de la atmósfera terrestre.

pH (porcentaje de hidrógeno), escala de: escala que mide la fuerza de ácidos y bases; pH 1 es el ácido más fuerte; pH 14 es la base más fuerte.

pigmentos: sustancias de las células animales o vegetales que dan a los seres vivos su coloración.

polimerasa: enzima que descompone las cadenas de unas moléculas llamadas

polímeros en fragmentos más pequeños (monómeros).

proteasa: enzima que descompone las proteínas.

proteína: sustancia formada por una o varias cadenas de aminoácidos.

química física: rama de la química que estudia los cambios que ocurren durante las reacciones químicas.

química orgánica: rama de la química que estudia el carbono y sus compuestos.

reacción: cualquier tipo de cambio químico que implique movimiento de electrones.

reacción endotérmica: reacción química que absorbe energía.

reacción exotérmica: reacción química que libera energía, como calor.

reactantes: sustancias que participan en una reacción química.

sacarosa: azúcar simple, también llamado azúcar de mesa.

vitamina: pequeñas moléculas de compuestos de carbono que todos, excepto los seres vivos más simples, necesitamos para crecer y estar sanos.